写给孩子的资治通鉴

星汉 编著
王辰 绘

③

石油工业出版社

图书在版编目（CIP）数据

写给孩子的资治通鉴.3/星汉编著；王辰绘.—北京：石油工业出版社，2023.2
ISBN 978-7-5183-5586-0

Ⅰ.①写… Ⅱ.①星…②王… Ⅲ.①《资治通鉴》—青少年读物 Ⅳ.①K204.3-49

中国版本图书馆CIP数据核字（2022）第168896号

写给孩子的资治通鉴3

选题策划：李　丹
责任编辑：李　丹
出版发行：石油工业出版社
　　　　　（北京市朝阳区安华里二区1号楼　100011）
网　　址：www.petropub.com
编 辑 部：（010）64523581
图书营销中心：（010）64523649
经　　销：全国新华书店
印　　刷：三河市嘉科万达彩色印刷有限公司

2023年2月第1版　　2023年2月第1次印刷
710毫米×1000毫米　　开本：1/16　　印张：10
字数：80千字

定价：29.50元
（如发现印装质量问题，我社图书营销中心负责调换）
版权所有，侵权必究

前言
QIAN YAN

　　《资治通鉴》是北宋史学家司马光历时19年，主持编撰的我国第一部编年体通史，记载了从战国至五代共1362年的史事。书中以时间为纲，以事件为目，纲举目张，时索事叙。为了做到叙述详备，司马光等人在编撰此书时，在每一事件中留下一段空白，以随时补充材料，然后再考证异同，删除烦冗。因此，此书清晰地记述了历史重大事件的前因后果，以及事件发生的环境，使读者能够清楚地了解事件的发展过程，而无突兀之感。

　　完成此书后，司马光将其上呈神宗皇帝。神宗皇帝给予了高度评价，称"鉴于往事，有资于治道"，于是此书定名为《资治通鉴》。

　　司马光以为统治者提供借鉴为出发点，希望统治者能够以前世的兴衰为鉴，考证当今为政得失。然而，此书的功效绝非仅仅于此，它甚至可以帮助人们修身、齐家、治国、平天下，宋末元初的学者

胡三省就评价此书说："为人君而不知《通鉴》，则欲治而不知自治之源，恶乱而不知防乱之术；为人臣而不知《通鉴》，则上无以事君，下无以治民；为人子而不知《通鉴》，则谋身必至于辱先，作事不足以垂后。"

《资治通鉴》是司马光等人从17本正史以及野史、谱录、别集、碑志等书籍中，辨别异同，存是去非，因此有极高的史料价值，在我国史学界占有极为重要的地位。该书内容以政治、军事和民族关系为主，兼有经济、礼乐、历数、天文、地理和历史人物评价，博大精深，详略得当。

正因为《资治通鉴》体大思精，导致少年读者不可骤然全得，只当"如饮河之鼠，各充其量而已"。为此，我们特意编撰了这套《写给孩子的资治通鉴》，将其中的精彩内容直观地呈现出来，希望能引导读者们更方便地"饮水"。

原著在叙述历史事件时不可避免地将一件事的来龙去脉分散地列在不同的时间下，使得事件的叙述不够连续。为了聚拢线索，我们将原本在原著中分散的故事或人物串联起来，并加入一些相关知识介绍，让读者更系统地感受到这部历史经典的魅力。

目录 MU LU

投笔从戎 / 001

极富争议的窦宪 / 007

邓训立德 / 012

东汉女政治家邓绥 / 016

虞诩破羌 / 020

关西夫子 / 026

跋扈将军 / 032

党锢之祸 / 038

黄巾起义 / 044

官渡之战 / 050

三顾茅庐 / 057

火烧赤壁 / 063

大意失荆州 / 069

夷陵之战 / 075

七擒孟获 / 081

邓艾奇兵灭蜀 / 087

羊祜与堕泪碑 / 093

西晋灭吴 / 098

石崇斗富 / 103

八王之乱 / 109

奴隶皇帝石勒 / 115

祖逖北伐 / 121

救时宰相王导 / 127

风流宰相谢安 / 132

扪虱而谈 / 138

淝水之战 / 144

北魏崛起 / 150

投笔从戎

自张骞通西域之后，西域诸国与汉朝一直保持着良好的关系。因为王莽改制，这种关系遭到破坏。光武帝刘秀又忙于统一，无暇外顾，西域逐渐被北匈奴控制。

班超胸怀大志，不甘平庸。汉明帝永平五年（62年），班超的哥哥班固成为校书郎，班超和母亲也跟随哥哥来到洛阳。因为家中贫寒，班超常常抄书以维持生计。这种职业既劳苦又没有前途，班超决定投笔从戎，并慷慨说道："大丈夫没有别的志向谋略，总应该效法傅介子、张骞立功在异域，万里之外觅取封侯，岂能长久地与笔墨纸砚打交道呢？"

为了巩固西部安全，汉明帝永平十六年（73年），奉车都尉窦固带兵出击匈奴，任命班超为代理司马，让他率领一支军队攻打伊吾（今新疆哈密）。双方交战于蒲类海（古湖泊名），班超斩获敌军首级颇多，表现出优秀的才干和胆略，很受窦固赏识，随后被派遣与从事郭恂一起出使西域。

班超刚到鄯善时，鄯善王接待他们的礼节周到，而后忽然变得疏远懈怠。班超察觉有些异样，对部下说："鄯善王的态度变得淡漠了。一定是有匈奴使者到来，他犹豫不决，不知道该服从谁。"于是唤来一个服侍汉使的鄯善人，假装对他说："匈奴的使者来这里好些天了，现在在哪里？"侍者惶恐地如实回答。班超将侍者关押起来，召集与他一起出使的三十六个人，说："不入虎穴，焉得虎子。只有消灭这些人，鄯善王才会听从我们。"众人提议将此事与郭从事商量，班超怒道："吉凶成败在此一举。郭从事是个文官，听到这事必定会因为害怕而暴露计划，我等性命也会因此葬送。这样死去成就不了声名，算不得壮士。"众人欣然赞成。

天一黑，班超带领部下奔袭匈奴使者营地。正好当天刮大风，班超吩咐十个人拿了军鼓隐藏在匈奴使者屋后，约定说："见到火焰燃起便擂鼓大声呼喊。"其余人都带上刀剑弓弩，埋伏在帐门两侧。班超顺风点火，前后擂鼓呼喊。匈奴使者大为惊慌，一百三十余人被一举歼灭。第二天，班超把鄯善王请来，示之以匈奴使者人头，鄯善王大为震恐。班超对他安抚之后，鄯善王表示愿意服从汉朝。

投笔从戎

那时，龟兹国王是被匈奴扶立的，依仗匈奴的势力，占据西域北道。龟兹攻破疏勒，杀死国王，另立龟兹人兜题为疏勒王。第二年春天，班超从小路来到疏勒，预先派遣部下田虑去劝降兜题。班超吩咐田虑说："兜题本非疏勒族人，疏勒国民必定不服，他如果不立即投降，就将他捉拿。"田虑面见兜题之后，兜题见他微弱，没有一点要归降的意思。于是田虑按照班超的嘱咐，趁兜题不备，将其绑住。兜题的手下大感意外，都惊慌地逃走。田虑派人驰报班超，班超立刻开赴城中，召齐疏勒文武官员，历数龟兹的罪状，随后立原来国王兄弟的儿子做疏勒国王，此举深得疏勒民心。

永平十八年（75年），汉明帝驾崩。焉耆借汉朝国丧机会，攻陷都护陈睦的驻地。班超孤立无援，而龟兹、姑墨两国屡屡发兵攻打疏勒国。班超固守盘橐城，与疏勒王前后呼应，虽然势单力薄，却坚守了一年多。

刚刚登基的汉章帝考虑到陈睦全军覆没，担心势孤力单的班超难以立足，便下诏召回班超。班超起身回国，疏勒全国上下不禁担心害怕，都尉黎弇说道："汉使离开我们，我们必定会再次被龟兹灭亡。"说罢便刎颈自杀。班超回国途中来到于阗国，王侯以下的人都悲号痛哭说："我们依靠汉使就好像小孩依靠父母一样，你们千万不能回去！"看到这番情景，又想到自己最初的志

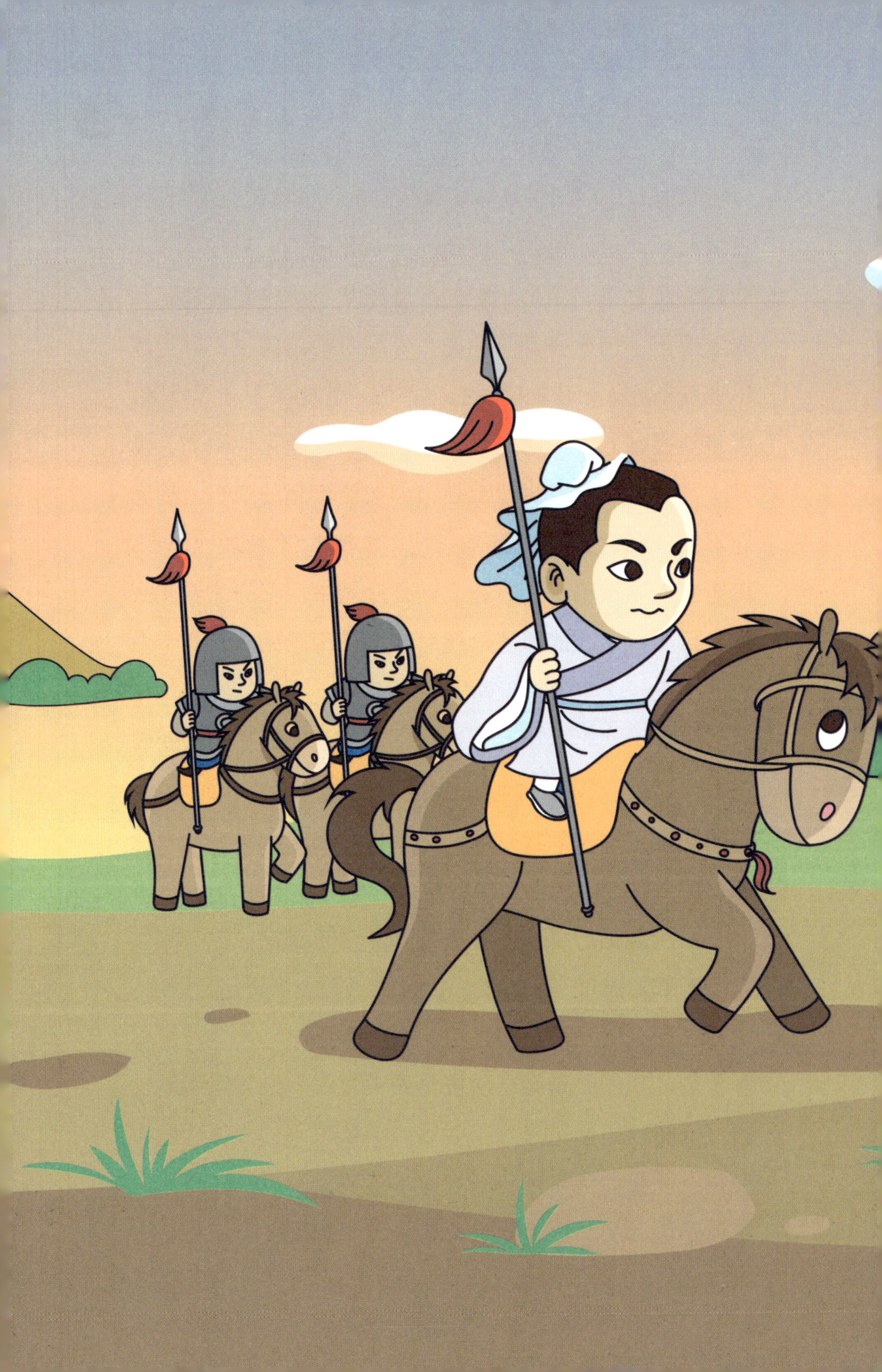

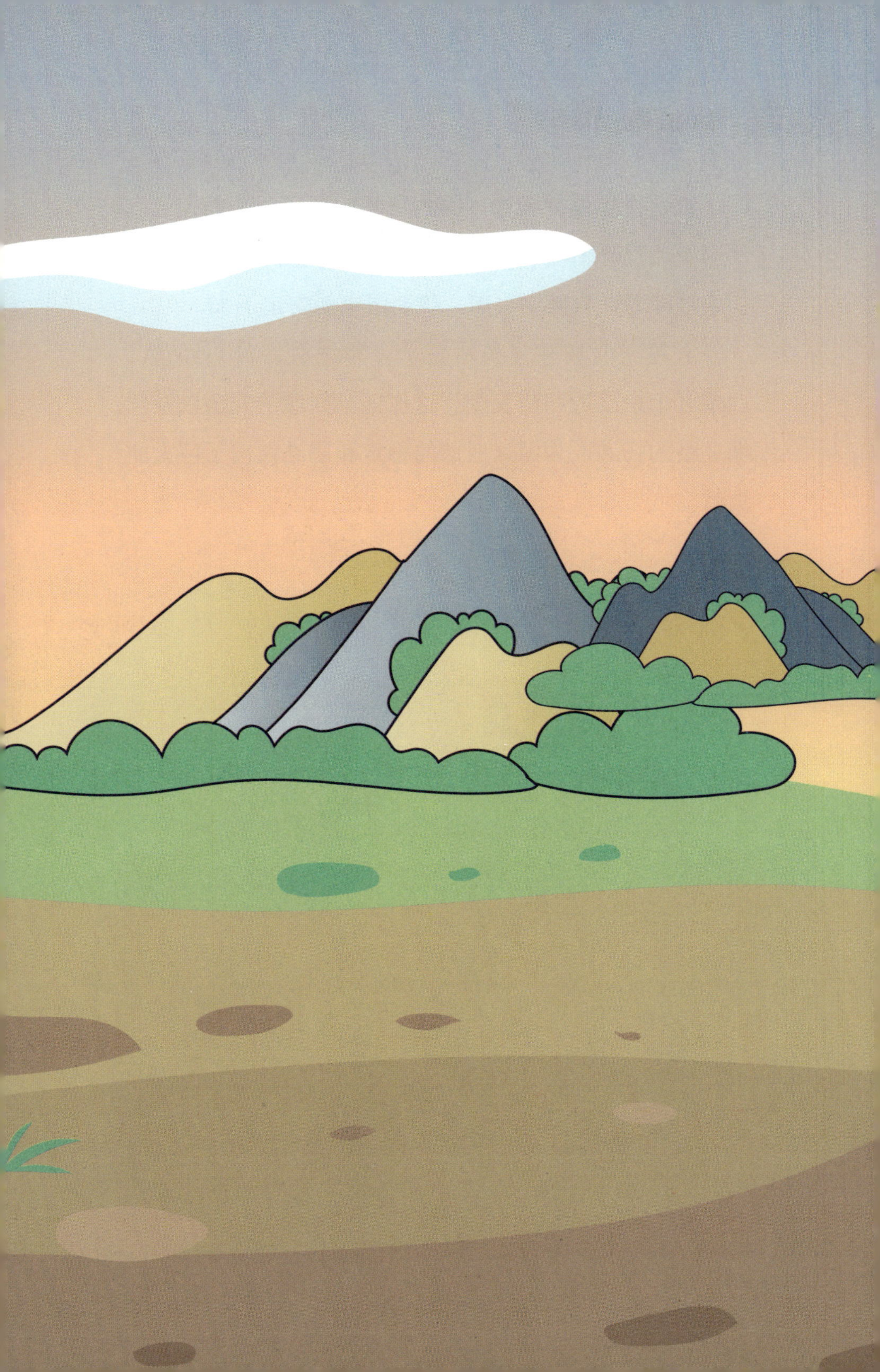

向，班超决定返回疏勒。因为班超的离去，疏勒国已有两座城池投降了龟兹国，与尉头国联兵叛汉。班超到后，捕杀叛降者，攻破尉头国，疏勒国重新安定下来。

班超在西域驻守长达三十一年之久，苦心经营，西域五十余国皆归附汉朝。这保证了西域的安全以及丝绸之路的畅通，为国家西部的稳定和团结做出了巨大的贡献。

【知识拓展】

班固：字孟坚，扶风安陵（今陕西咸阳）人，东汉著名的史学家和文学家，在父亲班彪的基础上花二十余年修成《汉书》。与司马相如、扬雄、张衡合称为汉赋四大家，与父班彪、弟班超，三人合称"三班"。班固入窦宪幕府后，为其主持笔墨之事，关系极为密切，后来受累于窦宪谋反，死于狱中。

极富争议的窦宪

汉章帝时期，因为妹妹窦皇后深得宠幸，窦宪权势滔天，连亲王、公主以及阴家、马家等外戚都对他心存忌惮。

窦宪曾看中沁水公主的庄园，以低价强行购买，公主因为忌惮其手中权势而不敢计较，只得委曲求全，将庄园转卖给窦宪。一次，汉章帝出行，经过庄园，指着庄园向窦宪询问情况。窦宪不但隐瞒皇上，还暗中威胁左右不得如实回答。后来汉章帝还是了解到事情的真相，对窦宪的欺骗行为大为恼怒，认为这比赵高的指鹿为马，有过之而无不及。汉章帝招来窦宪，怒斥道："连尊贵的公主都无故遭到你的侵夺，更何况手无寸铁的百姓！"窦宪俯首认罪，加之窦皇后为其求情，汉章帝的愤怒才平息下来，但从此不予重用。

汉章帝驾崩后，年仅十岁的汉和帝即位，窦太后临朝执政，沉寂一段时间的窦宪重新回到权力中心。窦宪

得到的恩宠日益隆盛,权势炙手,为人也愈加专横跋扈。一个门客告诫窦宪应当谨慎谦退,以求终生荣耀。外戚之所以为世指责,就是因为他们身居高位而不知退让,权势太盛而仁义不足。自汉朝建立以来,二十位皇后中,只有四位皇后保全自身和家族,应当引以为鉴。窦宪不以为意,依然我行我素。

　　窦宪性情暴烈,睚眦必报。在汉明帝时期,韩纡曾审理过窦宪的父亲窦勋的案件。窦宪竟派门客刺杀韩纡之子,并用其人头祭祀窦勋之墓。都乡侯刘畅到京城祭

吊汉章帝，被窦太后频繁召见。窦宪担心自己的恩宠受到威胁，便派刺客潜进皇宫将刘畅刺死，并嫁祸于刘畅的弟弟利侯刘刚。审理此案的官员觉得事有蹊跷，决定一查到底，事情终于水落石出。得知真相的窦太后大发雷霆，将窦宪禁闭在内宫。窦宪自知此次凶多吉少，便请求攻打北匈奴，以求将功赎罪。

88年，窦宪被朝廷任命为车骑将军出征北匈奴，金吾耿秉为副统帅。次年，窦宪与耿秉从鸡鹿塞（今内蒙古磴口西北哈萨格峡谷口）出兵，南单于屯屠河从满夷谷（今内蒙古固阳）出兵，度辽将军邓鸿从阳塞（固阳境内）出兵，三路大军在会师于涿邪山（今蒙古西部、阿尔泰山东脉）。窦宪令阎盘、耿夔、耿谭率领南匈奴精骑一万余，与北匈奴单于在稽洛山交战，大败北匈奴，北匈奴单于逃走。窦宪下令追击各部北匈奴，一直深入私渠比鞮海。窦宪、耿秉出塞三千余里，登上燕然山，令班固勒石记功后班师。

北匈奴单于远遁绝域，窦宪令吴汜、梁讽携带金帛前往招降。北匈奴单于同意效法呼韩邪单于，做汉朝的属国，并率众与吴汜、梁讽一同返回。当到达私渠比鞮海时，汉军已经入塞，北匈奴单于便派自己的弟弟代替自己入朝为人质。窦宪因北匈奴单于没有亲自前来朝见，便奏报窦太后，将人质送还。北匈奴单于大为惊恐，当即派使者求见窦宪，请求向汉称臣。这时，南匈奴上书汉廷，提出先消灭北匈奴单于，待南北匈奴合并后再归附汉朝的建议，得到许可。于是，南匈奴与北匈奴交战，北匈奴败走。

此前，北匈奴因饥荒发生内乱，国力大衰，经此两战后，更是羸弱不堪。窦宪想趁机将其一举歼灭，彻底消除匈奴之患，于是令耿夔、任尚领兵追击，在金微山大破北匈奴。北匈奴单于遁逃，不知去向，其国遂亡。

窦宪立下大功后，威望和权势如日中天，在朝廷中培养了一大批爪牙心腹。若有谁敢忤逆窦宪，就必定会遭到报复。尚书仆射乐恢为人刚正，因为检举窦宪所举荐的官员而受到怨恨。乐恢自知不能立足，便上书请退，回到故乡长陵。但即便这样，也没能逃过窦宪的迫害，被迫服毒而死。

窦氏一家遍布朝堂，相互勾结。因为对权力的贪婪，他们产生了弑杀汉和帝的念头。汉和帝暗中得知他们的阴谋，决定先下手除掉窦宪，但是苦于窦宪大权在握，且其耳目遍布朝堂，只得隐忍不发，等待时机。机会终于来了，领兵在外的窦宪回到朝廷，汉和帝在宦官郑众的帮助下，将窦宪一党全部逮捕。

极富争议的窦宪

汉和帝先处死窦宪的一批党羽，然后收回窦宪的大将军印绶，改封冠军侯。回到封国后，窦宪与三个弟弟均被迫自杀。

【知识拓展】

尚书仆射在秦汉时为少府属官，帮助尚书令管理少府档案和文书，是很低阶的官员。后来，尚书开始管理机密，尚书仆射也日益重要。三国时开始分为尚书左仆射、尚书右仆射。南北朝时，尚书令空缺时，尚书仆射开始执掌朝政。唐朝时，由于唐太宗曾任尚书令，尚书令不轻易授，而以尚书仆射为长官。

邓训立德

西汉王朝的外患主要来自匈奴的侵扰，而东汉王朝却意外地遭到羌族的不断侵扰，由其发起的大规模反叛就达五次之多。

汉章帝建初二年（77年），安夷县的一个官吏因霸占一个羌族妇女而引来杀身之祸，被那个妇女的丈夫杀死。安夷县宗延带人捉拿凶手，追至塞外。同部落的羌人合力杀了宗延，并与其他两个羌人部落联合，起兵反叛。久蓄反叛之心的烧当羌首领迷吾立即策动其他羌人部落一同反叛，很快就击败金城太守郝崇。汉章帝派出重兵，叛乱才得以平息。

汉章帝章和元年（87年），迷吾再次联合其他羌人部落进攻金城。护羌校尉张纡迎战迷吾，迷吾不敌，便派使者向张纡请降并得到张纡的接纳，于是迷吾率领部众前来归降。张纡大摆筵席款待，先是在酒中下毒，后又设下伏兵，杀死羌人八百多人，并斩下迷吾的首级。

邓训立德

随后，张纡发兵袭击迷吾的余部，斩获数千人。张纡这种做法，激起了羌人的强烈怨恨。迷吾的儿子迷唐成为烧当羌的新首领，他与其他羌人部落化解仇恨，并相互通婚，很快就强大起来。在这种情况下，朝臣推荐张掖太守邓训接替张纡担任护羌校尉。邓训是东汉开国功臣邓禹的第六子，为人乐善好施且礼贤下士。

邓训担任护羌校尉不久，迷唐率领骑兵万余，进犯边塞。因为忌惮邓训，迷唐先向小月氏胡人用兵。鉴于张纡的失败，邓训决定用恩德收服凉州诸胡，于是出兵保卫小月氏胡人。因为邓训的庇护，小月氏胡人没有受

到迷唐的侵夺。此外，邓训还下令打开城门，接纳其他胡人，派兵保护他们的妻子儿女。属下官员对邓训的做法感到不解，他们一致认为羌人与胡人交战，汉朝可以坐收渔翁之利，为什么还要派兵庇护他们呢？邓训说："张纡失信，致使羌人部落群起而攻之，凉州官民命悬一线。以前胡人一直与汉朝冲突不断，原因在于我们的恩德不厚。现在胡人大难临头，如果此时我们出手相救，胡人必定感恩戴德，将来就可以为我所用。"因为邓训此举，迷唐不敢攻击小月氏胡人，抢掠其他胡人也无收获，只得无功而返。胡人诸部对邓训感激不已，均表示愿意臣服汉朝。

胡人有一种风俗，以病死为耻。所以，一旦被疾病困扰，他们就会用匕首刺死自己。邓训知道后，就会把被疾病困扰的胡人绑住，然后请医生为他们治疗，被治愈的胡人不计其数。对于邓训的教化和安抚，胡人上下无不心悦诚服。另外，邓训还采取"赏赂诸羌"的做法，悬赏招降羌人，然后让已经投降的羌人去诱降其他羌人。不久后，迷唐的叔父号吾率其部落八百户自塞外来降。时机成熟后，邓训征集汉人、胡人、羌人共四千余，出塞大破迷唐。

不久之后，迷唐再次集结旧部，想要重夺旧地。邓训再次征集汉、胡、羌三族共六千余人，以长史任尚为将。

邓训立德

汉军率先发动袭击，打败迷唐军队，迷唐的部落几乎全被消灭。从此，迷唐再难立足，率领残部西迁一千余里。而烧当部落贵族东号则前来归降，其余的贵族也都将人质送到边塞，以示臣服之意，原来依附迷唐的许多部落也都归附汉朝。对于这些归顺的羌人，邓训全部接纳，并以恩德相待。在胡人和羌人当中，邓训的威望和声誉日渐隆盛，边境也安定下来。于是邓训撤去驻军，令士兵各自回乡，只留下免去刑罚的囚犯两千余人，让他们从事屯田和修理城墙的工作。

汉和帝永元四年（92年），邓训去世，凉州官民以及羌人和胡人大为震动，每天前往祭吊的人多达数千。

【知识拓展】

烧当羌：古代羌人部落之一，以部落中曾经的一位首领烧当为名。烧当的玄孙联合其他羌人部落，击败先零羌，夺得大量土地，日趋强大。

东汉女政治家邓绥

邓绥（suí）是汉和帝刘肇的第二任皇后，她出身名门，是邓禹的孙女，她的母亲阴氏是汉光武帝刘秀的皇后阴丽华的侄女。

邓绥从小就从聪明伶俐，6岁开始阅读史书，12岁的时候已经通晓《诗经》《论语》等儒家经典，家里人都称她为"诸生"。邓绥的母亲却总是埋怨她说："女孩子家要学些女红（gōng）才好。"听了母亲的话，邓绥拿起了针线，很快刺绣的水平就超过了母亲，于是她又捧起了书本。母亲拿她没有办法，而父亲则很支持女儿读书，他觉得女儿很有想法，将来的成就会在自家的男孩之上，因此父亲有事情也会与邓绥商量，而邓绥的建议也总是很合父亲的心意。

邓家的家教非常严格，所以邓绥身上没有小姐的娇气，而是一个克己守礼的人。邓绥的奶奶非常宠爱这个孙女，还会亲自为她修整头发。有一次因为老眼昏花，奶奶不仅没有剪出好看的发型，还弄破了她的额头。旁边的侍女都为她感到疼痛，可是邓绥竟然一声不吭，还表现出很开心的样子。后来侍女问她疼不疼。她说："不是不疼，但奶奶爱我才会这么大年纪了还帮我剪发。我要是喊疼，她老人家一定会伤心的。"

邓绥13岁那年，汉和帝选年轻女子进宫为妃，邓绥入选。但是邓绥的父亲忽然病重，不久去世。

三年后，守孝期满的邓绥再次被皇帝选中。她一入宫就吸引了皇帝的注意，这可气坏了阴皇后。阴皇后家里也很有权势，失宠之后就开始嫉妒邓绥，总是在皇帝面前说邓绥的坏话。而邓绥得宠之后并没有不可一世，反而更加谦卑。皇上举行宴会的时候，如果自己的衣着与阴皇后相似，她就会马上更换，生怕自己抢了阴皇后的风头；如果与阴皇后一起觐见皇上，她从来都是站在一旁，不敢坐下；如果与阴皇后同行，她一定会恭恭敬敬地站在一边

让阴皇后先走。不仅如此，邓绥还经常劝和帝多多亲近阴后。这样一来，反而让和帝更加敬重和疼爱邓绥了。

有一次，邓绥生病，和帝心疼不已，特许她召家人来探视，而且不限时日。邓绥婉言谢绝。她说："宫廷是皇家禁地，如果让宫外的人长久居住在宫中，不但有违法制，而且大臣们也会批评您徇私情，指责我不知足。"

阴皇后请来了巫师下蛊，诅咒皇帝无子，邓绥速死。后来这件事被和帝知道了，他下令逮捕了所有的涉案人员，并废了阴皇后，把她打进了冷宫。不久，阴皇后郁郁而终，邓绥成了新的皇后。成为皇后的邓绥依然谦和谨慎，带头掀起了节约运动，穿粗布衣裳，吃素食，除了笔墨纸砚，上贡的奇珍异宝一律退回。邓皇后的所作所为赢得了东汉臣民的赞赏。

105年，汉和帝驾崩。和帝死时，宫中没有儿子，只有两个小皇子被寄养在民间。邓绥派人找回了两个小皇子，这两个孩子一个身体很弱，一个年纪很小，出生才100天。经过思考，邓绥扶持小皇子刘隆登上帝位，这就是汉殇帝，而她本人则以皇太后的身份垂帘听政。

邓绥处理朝政的时候，天灾不断，蛮夷入侵。面对这些困难，邓绥任用贤良，集思广益，有效地稳定了局势。她的威信也很快树立起来，赢得了东汉大臣们的尊重。

邓绥在执政后期非常依赖自己的娘家人。和帝在世

东汉女政治家邓绥

的时候,他提出奖赏邓家人,邓绥总是谢绝;但是自己执政后,她的娘家兄弟个个身居要职,从中央到地方都有邓氏家族的势力。不过邓绥很聪明,她没有骄纵这些外戚,经常告诫他们不要飞扬跋扈,所以邓家的人虽然势力庞大,但是都很清廉,为社会的稳定也做出了贡献。

可惜汉殇帝命短,当了8个月的皇帝就死了。无奈下,邓绥又从皇室近亲中挑了一个13岁的男孩登基,这就汉安帝刘祜,她则继续临朝听政。等到汉安帝成年,她依然不愿交出自己的权力,直到去世后,汉安帝才得以亲政。

【知识拓展】

阴丽华:东汉光武帝刘秀的第二任皇后。刘秀统一天下后第五年,她被封为皇后,端庄贤淑,内持恭俭,被称为"一代贤后"。

虞诩破羌

汉安帝永初四年（110年），羌人再次起兵反叛，侵袭凉州。大将军邓骘主张放弃凉州，集中力量保卫三辅地区。他对公卿大臣们说："好比有两件破衣服，牺牲一件去补另一件，这样可以得到一件完整的衣服，否则两件都保不住。"

虞诩认为不可，理由有三：其一，先辈披荆斩棘、历尽劳苦得来的土地不能拱手让人；其二，如果放弃凉州，三辅地区则暴露在敌人的兵力之下，皇陵更是首当其冲；其三，"关西出将，关东出相"，凉州民风剽悍，猛将烈士多出此地。羌人和胡人不敢深入三辅地区，就是因为凉州在他们的背后。凉州将士奋勇抗敌而无反顾之心，是因为他们归属汉朝。如果我们放弃凉州，把凉州百姓丢给夷狄，必然会引起怨恨。他们一旦起兵反叛，再联合外族席卷而来，即使有猛士孟贲和夏育当作士兵，姜太公为将，恐怕也难以抵挡。如果放弃凉州，只怕天

下已非汉朝所有。虞诩将自己的意见告诉了太尉张禹，深得赞赏。张禹当即召集大将军、太尉、司徒、司空等四府进行商议，众人一致同意虞诩的主张。

恰好朝歌县有贼匪聚众造反，连年作乱，州郡官府奈之不得，于是虞诩被邓骘命为朝歌县县令。故友深为虞诩担忧，虞诩却毫不在意，认为大丈夫行事应当不避艰难。到任后，虞诩当即招募犯法者一百余人，赦免他们的罪行，命其混入匪帮，诱使他们进入虞诩预先设下伏兵的地方，一举杀死贼匪数百人。另外，虞诩暗中派遣裁缝为叛匪制作服装，并用彩线缝制衣服。贼匪穿上这种衣服出现在集市，立即会被官吏抓获。贼匪惊骇不已，以为官府有神灵相助，四下逃散，朝歌县境内得以安定。

汉安帝元初二年（115年），羌兵进犯武都。临朝执政的邓太后素闻虞诩有将略，在武都陷落之际，擢升虞诩为武都太守。接到诏令后，虞诩率三千兵马赶往武都。羌人素知虞诩之名，严阵以待，在陈仓凭险设防以阻截虞诩。虞诩当即下令停止进军，向外宣称已奏请朝廷增援，等援军到了之后再一起前进。羌人受到迷惑，便分兵去邻县抢掠，留在陈仓的羌兵也放松了警惕。虞诩趁机日夜兼行一百余里，并命令将士们每人挖两个灶坑，以后每日增加一倍。羌人见汉军灶坑天天增加，以

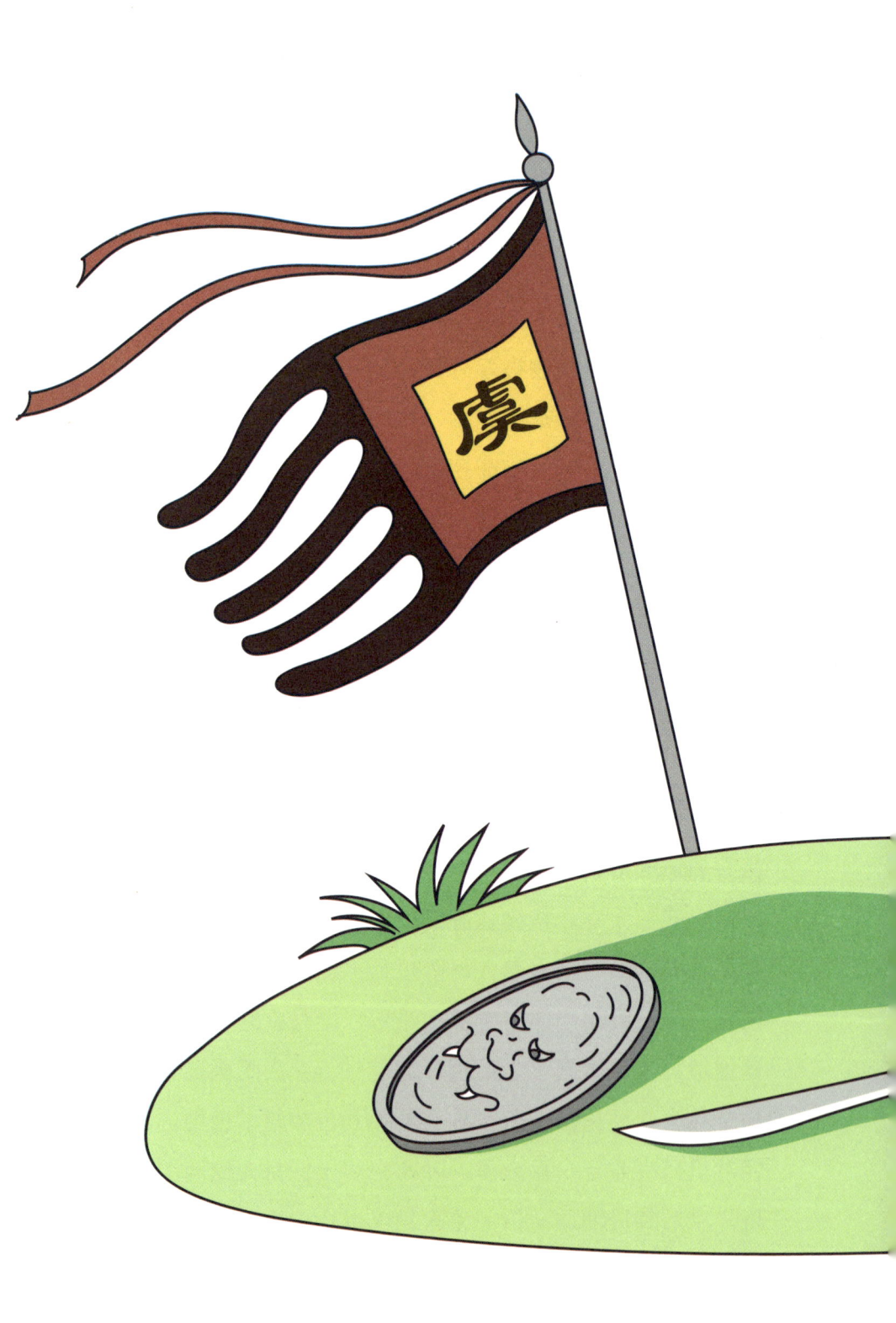
虞

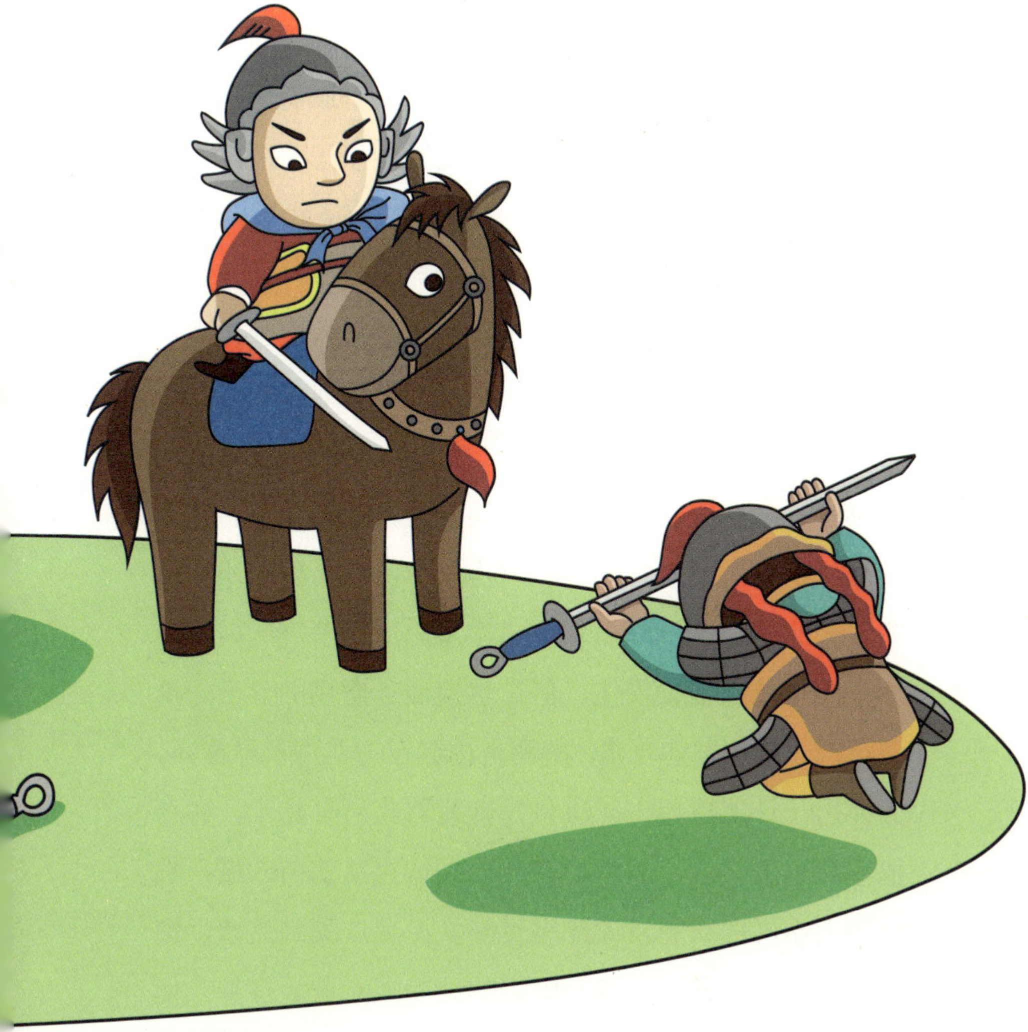

为援军不断增加，更不敢逼近。部下不解其意，问虞诩："以前孙膑通过减灶迷惑敌人，而您却增加灶的数量；况且兵法上说，每日行军不能超过三十里，为的是防备不测之事，而您却日行近两百里，这是什么道理呢？"虞诩回答说："敌众我寡，快速行军能够迷惑羌人，使其探测不到我们的虚实；羌人见灶坑日益增加，必定会认为我们有援兵接应，所以不敢追击。孙膑有意向敌人示弱，我现在有意向敌人示强，这是由于形势不同。"通过这种行军方式，虞诩安全快速地赶到了武都。

　　虞诩所部兵马三千，被一万多羌兵包围。虞诩命令众将士顽强固守，一直坚持了数十天，多次击退羌军的进攻。虞诩命令将士不要发射强弩，改用射程较近的小弩射击。羌兵见汉军弓弩威力弱小，认为难以造成威胁，便集中兵力发起猛攻。等到羌兵靠近，虞诩命令将士拿出强弩，每二十支强弩集中射击一个敌人，射无不中。羌人大惊，慌忙退却，虞诩趁机率军出城掩杀，斩获甚众。

　　此战羌兵多有损伤，但是也摸清了虞诩的兵马，准备再次对虞诩发起攻击。虞诩考虑到己方实力已经暴露，又使出一计迷惑羌人。次日，虞诩召集所有将士，命令他们从东门出城，故意让羌人看到，再从北门入城，然后换上不同的衣服，如此重复多次。羌人受到迷惑，惊恐不安，军心有所动摇。虞诩估计羌人有退兵打算，便

虞诩破羌

以五百余人设伏于敌人撤退的必经之路。果然如虞诩所料，羌人撤兵退入汉军伏地，汉军伏兵突起掩杀，大获全胜，羌人从此溃散。

击退羌兵后，虞诩开始治理武都郡。他修建营垒，开通水路运输，救助贫民并召回流亡外地的百姓。经过三年的治理，武都郡境内太平，百姓富足。

【知识拓展】

邓骘：南阳郡新野县（今河南新野）人。出身于名门，其祖父是位列东汉初年"云台二十八将"之首的邓禹，在少年时即被大将军窦宪征辟为府僚。因妹妹邓绥入宫为贵人，邓骘被任命为郎中。邓绥被汉和帝立为皇后，邓骘经三次迁升后任虎贲中郎将。

关西夫子

杨震从小接受父亲教诲，少年时便聪明好学，后拜名儒桓郁为师，学习儒家经典。几年之后，杨震通晓经传，博览群书，成为一个大学问家。

弱冠之后，杨震拒绝了许多大官的推荐，一心秉承父亲遗愿，设馆授徒。杨震坚持有教无类，且学问博大精深，因此远近钦慕，四方求学之士络绎不绝，学生多达三千余人，他被人尊称为"关西夫子"。

大将军邓骘对杨震的品行和学识敬佩有加，亲自征召杨震担任幕僚。有感于邓骘的诚意，已经年逾五旬的杨震决定去邓府任职。不久之后，杨震担任襄城（今河北襄城县）令，之后又相继担任荆州刺史、东莱太守、涿郡太守等职。元初四年（117年），杨震被征入朝廷任职，担任太仆（九卿之一），负责舆马及牧畜之事。同年十二月调为太常（九卿之一），掌管朝廷礼、乐、郊庙之事。汉安帝永宁元年（120年），升为司徒，位

关西夫子

列三公，主管教化。汉安帝延光二年（123年），升为太尉，掌管朝廷军事大权。

在开办教育的三十多年间，杨震一直以正直清白教诲学生。在其为官的二十余年间，杨震同样以正直清白自守。他始终以"清白吏"为座右铭，严格要求自己恪尽职守，不私受贿赂，一切事情都秉公办理。

在一次赴任途中，杨震经过昌邑时，得知昌邑县县令是王密。当初在荆州时，王密因为杨震的举荐而得到重用。如今经过故人管辖之地，杨震便决定前往拜访。两人见面，自然是一番寒暄叙旧。等到了晚上，王密怀揣着十斤黄金来到杨震住所，想要杨震给他打通关系。杨震遗憾地说："我了解你，你却不了解我，这是为什么呢？"王密说："您不必担心，送金这件事在夜间是没有人知道的。"杨震回答说："这件事情，天知，地知，我知，你知，怎么说没有人知道呢？"王密听后非常惭愧，便带着黄金回去了。

杨震为官，从不牟取私利。他的子孙们也与平民百姓一样，蔬食步行，生活十分简朴。曾有亲友劝杨震为子孙后代置办产业，杨震坚决不肯，他说："让后世人都称他们为'清白吏'子孙，这样的遗产，难道不丰厚吗？"

杨震为官清廉自守，而且疾恶如仇，敢于直谏。邓太后去世后，汉安帝身边的内宠得势，乳母王圣深得恩

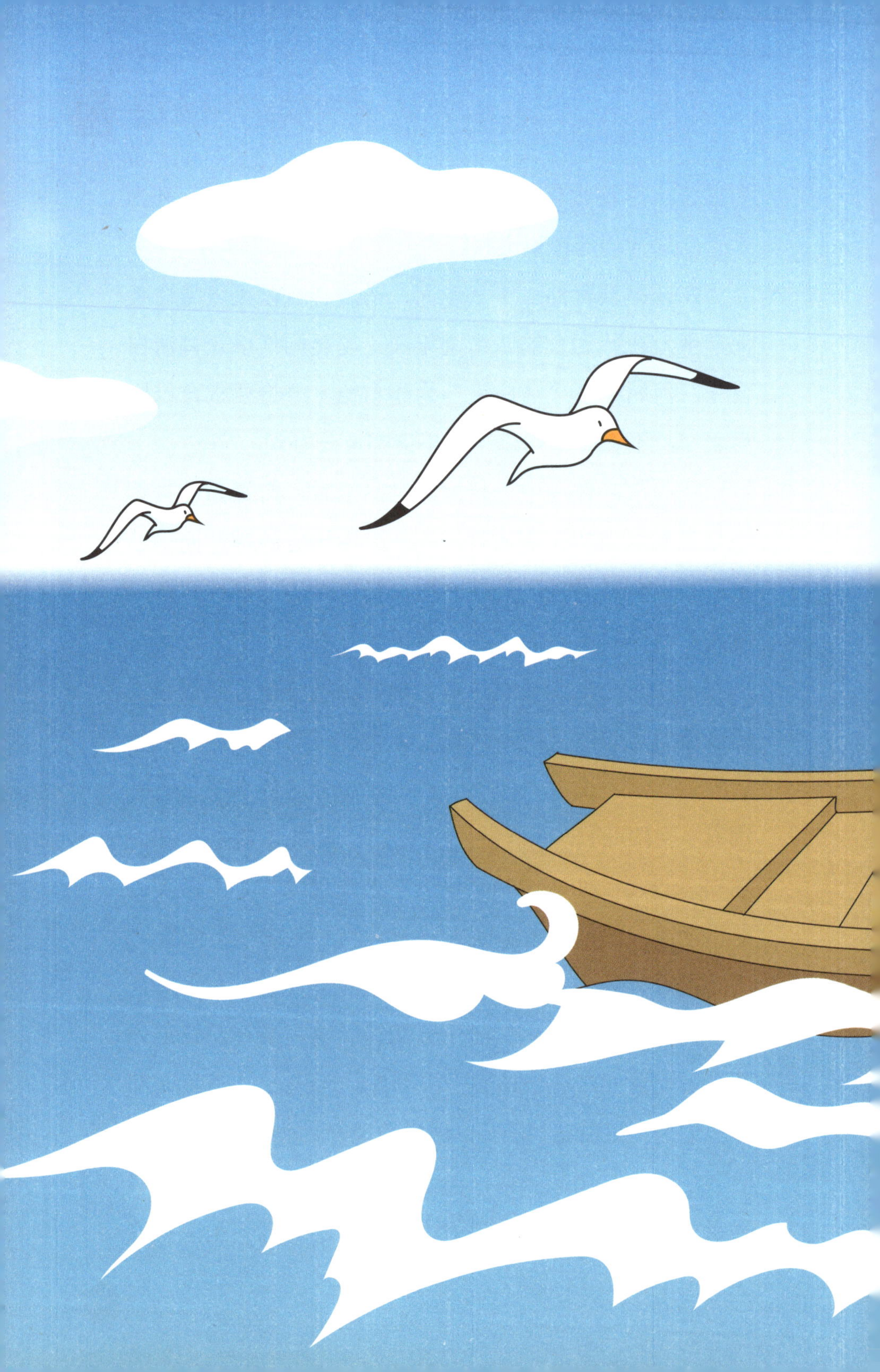

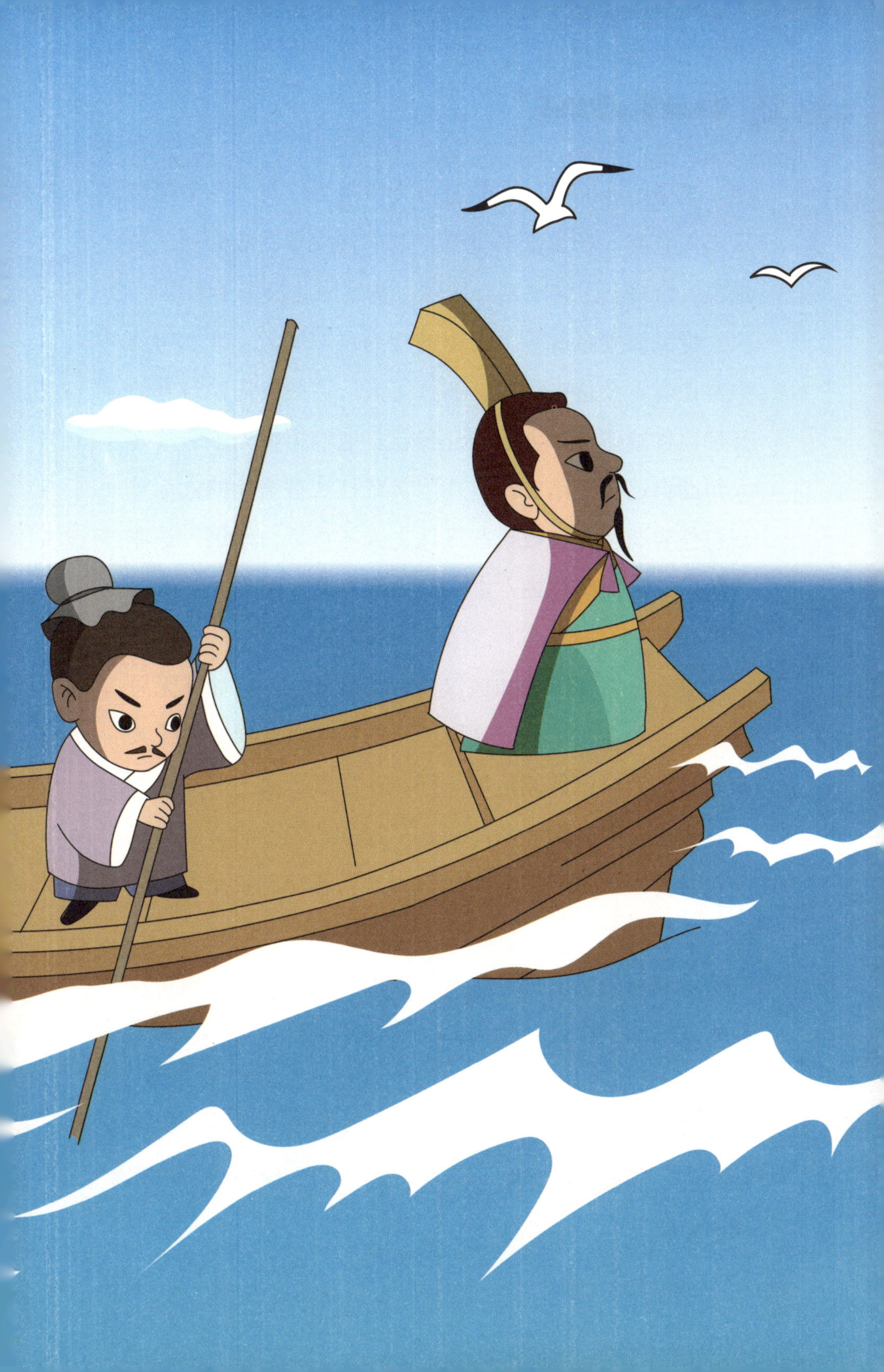

宠。王圣恃宠而骄，在禁宫内为所欲为，与女儿伯荣经常出入禁宫。杨震上书皇帝，以前代女子乱政为例，请求汉安帝将王圣移出宫外居住。杨震因此被王圣怨恨。

受到汉安帝庇护，王圣的行为愈加肆无忌惮，勾结中常侍樊丰及侍中周广、谢挥等人。这些人倚仗得宠的奸佞，作威作福，大肆倾轧异己。他们招揽天下贪婪之人帮助自己收受贿赂，有些因贪赃枉法被罢免的人都重新担任要职。朝廷被这些奸佞之人弄得黑白颠倒，是非混淆。杨震深感忧虑，上书规谏汉安帝，但是并没有得到重视。

樊丰、谢挥等人知道汉安帝不听规谏，更加肆无忌惮，甚至伪造诏书，征调国库里的钱粮以及现有的役夫和木材，为自己修建巨宅、园池。杨震再次上书劝谏，言辞也由温和转为激烈，引起了汉安帝的不满，而樊丰等人对杨震更是怨恨非常，但碍于杨震的声望而不敢加害于他。

汉安帝外出巡视，樊丰等人因为皇帝外出，加紧修建私人宅邸。经过向相关部门的询问核查，杨震得到了樊丰等人伪造的诏书。杨震将他们所有的罪行写成奏章，准备等安帝回京后呈上。樊丰等人大为惶恐，便一同诋毁杨震。汉安帝轻信谗言，收回杨震的太尉印绶，将其遣回原籍。

杨震临行前，对前来送行的儿子和门生们说："死亡，对正直之士来说是很平常的事情。我蒙恩身居高位，既不能诛杀佞臣贼子，又不能禁止嬖（bì）女作乱，还有何面目苟活人世。我死后，杂木做棺，破布裹尸即可，不要归葬祖坟，也不要祭祀。"说完服毒自尽。

一年后，汉顺帝即位，樊丰等人被处以极刑。汉顺帝下诏为杨震平反，并按照三公礼仪改葬。改葬当天，前来参加葬礼的百姓络绎不绝，向这位刚正清廉的太尉表达崇敬之意。

【知识拓展】

九卿：秦汉时期中央政府的九个主要官职，分别是奉常（汉景帝改太常）、郎中令（汉武帝时改称光禄勋，东汉时复旧）、卫尉、太仆、廷尉、典客（汉初改大行令、武帝时又改大鸿胪）、宗正、治粟内史（汉武帝时改大司农）、少府。

跋扈将军

东汉外戚梁冀一门中，有三个皇后、六个贵人、两个大将军、七个列侯以及三个驸马，担任显要官职的人更是数不胜数，梁家权势滔天。梁冀以大将军的身份把持朝政，独断专行，皇帝完全被架空，成为傀儡。各地进贡礼品，先要挑好的送给梁冀，然后才轮到皇帝。文武百官被委以官职后，都要先到梁冀家里呈递谢恩书，然后才敢到尚书台去接受委任。朝廷上下、皇宫内外都安插了梁冀的亲信，所以对任何事情，梁冀都了如指掌。

汉顺帝驾崩后，两岁大的汉冲帝即位，但只做了半年的皇帝就死了。梁冀就在众多宗室子弟中挑选了八岁的刘缵（zuǎn）做皇帝，即汉质帝。汉质帝年幼，但是聪明机灵。在一次早朝上，汉质帝眨眼看着梁冀，然后当着满朝文武的面说："这是跋扈将军。"没多久，汉质帝便毒发身亡。梁冀立十五岁的汉桓帝继承皇位，但

跋扈将军

仍是一个傀儡皇帝。

梁冀穷奢极欲，为了享受，大兴土木，建筑穷极工巧，金银珠玉、奇珍异宝，充满房舍。另外，梁冀霸占大量农田，用来扩建园林。从全国各处运来土石堆成假山，开辟池塘，广植树木，奇绝宛如天成，珍禽异兽来回飞翔奔走。梁冀游赏其间，夜以继日地纵情欢娱。

为了大敛财富，梁冀派出大量的宾客，让他们暗中调查富有人家，栽赃罪名将他们逮捕，逼他们用巨额财富赎罪，出钱少的人往往会被拷打致死。有一个叫孙奋的人，家中藏有巨资，但是生性吝啬。梁冀为了占有他家的财富，送给他一匹马，要求借贷五千万钱。孙奋不敢得罪梁冀但又吝啬舍不得，只借出了三千万钱。梁冀大为愤怒，立即诬陷孙奋的母亲曾是梁冀家里看守库房的婢女，她监守自盗，偷走了十斛白珍珠和一千斤紫金。于是孙奋兄弟被捕入狱，不久便死于狱中，其家产则被梁冀没收。

梁冀大权在握，行事凶残暴戾，而且一天比一天放肆。拂逆他的人，必定会遭到残酷报复。吴树被任命为宛县县令，梁冀因为有众多宾客在宛县，让吴树多加照顾。吴树说："奸恶之徒是残害百姓的蛀虫，别说在宛县，就算在邻县，我也会将他们诛杀。大将军身居高位，理应举贤任能。可是这么久以来，大将军从来没

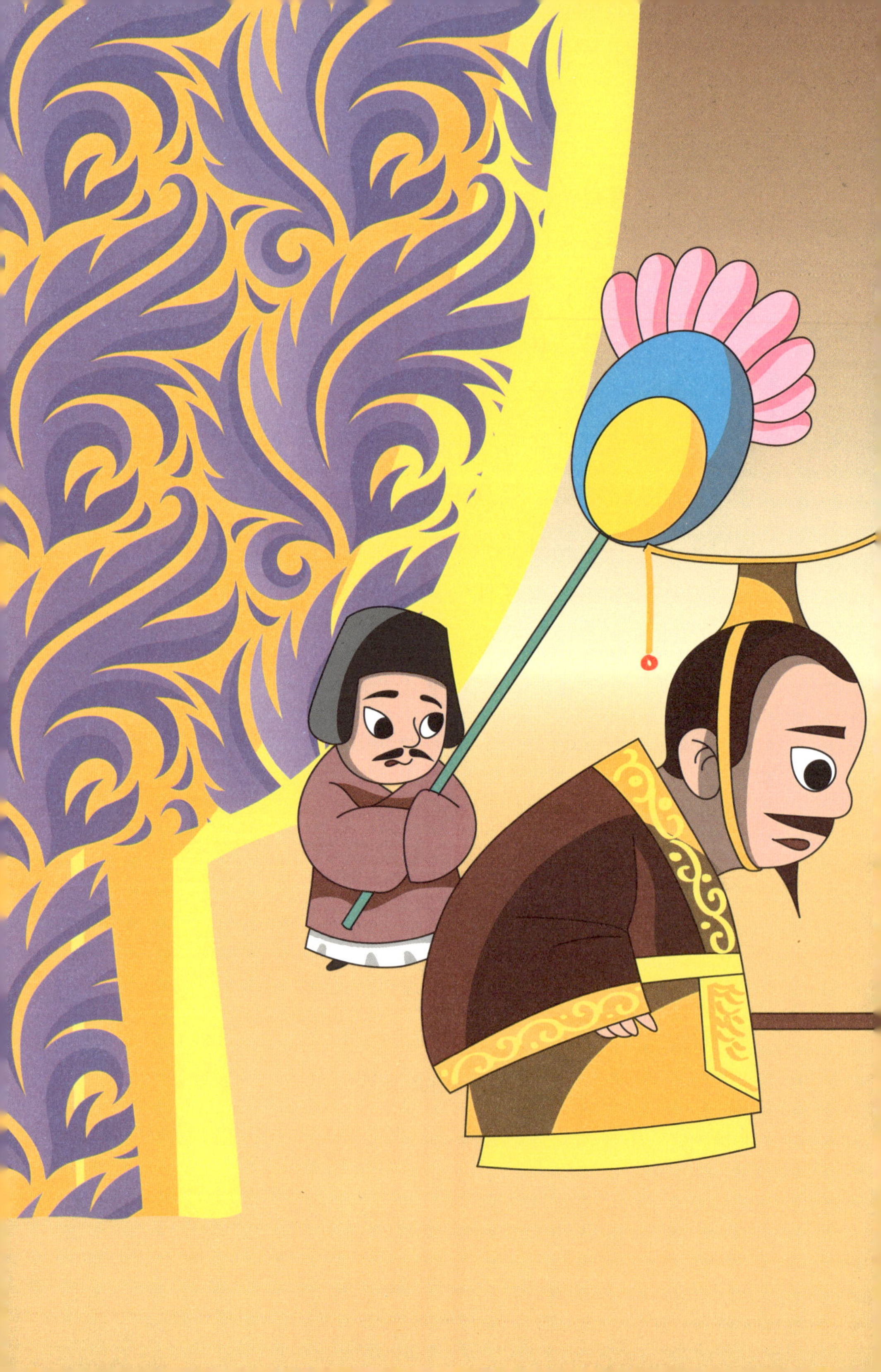

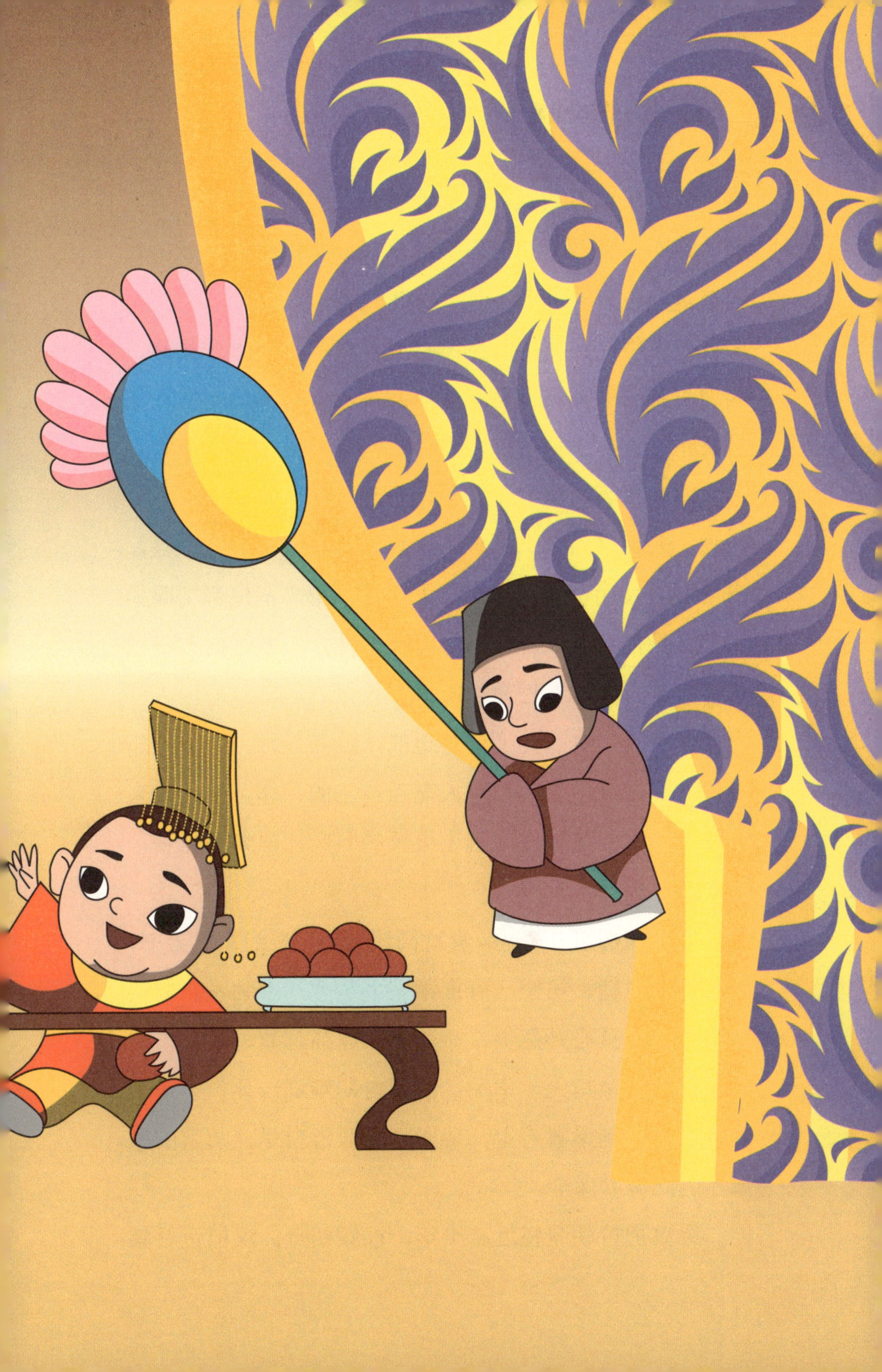

有称赞过一位有德长者，反而嘱咐我去庇护一群奸恶之徒，我实在不敢从命。"吴树上任后，立即将梁冀的宾客诛杀。后来吴树调任荆州刺史，按照惯例向梁冀辞行，梁冀命人将吴树毒死。刚刚接受任命的东郡太守侯猛，因为没有去梁冀府上谢恩而引起梁冀的不满，不久便莫名获罪。

郎中袁著，年方十九岁，看到梁冀凶残放纵，不胜愤慨，来到宫门上书。讥刺梁冀手中的权力太过强盛，应当学习汉元帝时期的御史大夫薛广德，把皇帝赏赐他的车乘悬挂起来，卧在家中修身养性，不要过问政事以示谦卑，否则就有性命之虞。梁冀得知后，立即派人秘密搜捕袁著。袁著为了逃避追捕，改名换姓，假装染病而死，安排家里人用稻草人充当自己的尸体，然后买来棺材入葬。但是他没能逃出梁冀的眼睛，最终被抓获，鞭打致死。

太原人郝絜、胡武，喜欢高谈阔论，曾经联名上书，向太尉、司徒、司空三府推荐天下贤才，唯独没有向梁冀推荐。梁冀心怀怨恨，命令官府逮捕郝絜、胡武，胡武一家六十余口无一幸免。郝絜自知难逃一死，于是带着棺木亲自到梁冀府上，请罪之后服毒自尽，郝絜的家属才因此得以保全。

梁冀把持朝政将近二十年，权倾朝野。汉桓帝召集

跋扈将军

单超等五位与梁氏一家有仇的贴身宦官，密谋除掉梁冀。趁梁冀不备，汉桓帝调集一千多羽林军士兵，包围了梁冀的宅邸。梁冀自杀。

梁冀死后，汉桓帝下令铲除梁氏和孙氏家族的势力，没收梁冀的家产，罢免梁冀先前在朝中设立的官员三百多人，百姓无不拍手称快。

【知识拓展】

薛广德：西汉经学大家，博学多识，体恤百姓，经常冒死进谏，受民爱戴。晚年，他上书请求辞官，皇帝批准并赐给他安车和黄金。薛广德驾车归隐沛郡，当地的百姓和官员亲自到边界上迎接他，后来他把皇帝赐的安车悬挂起来，留给后世子孙。自此，"悬车"也有荣退之意。

党锢之祸

党锢之祸，是东汉桓帝和灵帝时期，两次打击士人和太学生的事件，影响深远。

汉桓帝在宦官的帮助下，铲除梁冀，从外戚手中夺回政权。论功行赏时，宦官单超、徐璜、具瑗、左悺、唐衡同日封侯，史称"宦官五侯"。自此，东汉政权由外戚转到宦官手中。

宦官比外戚更加贪婪凶残，他们大肆搜刮民脂民膏，以致民不聊生、怨声载道。除了强取豪夺之外，他们还利用手中权力进行卖官鬻爵，当时民间流传嘲讽官吏选拔制度的打油诗："举秀才，不知书；察孝廉，父别居；寒素清白浊如泥，高第良将怯如鸡。"

太学由汉武帝开办，是全国最高学府，太学生主要学习儒家经典，考试合格后被直接任命官职。汉桓帝年间，太学的学生已经多达三万多人，他们有感于自己家世的零落和政治前途的暗淡，对宦官当政怨恨不已。于

党锢之祸

是，以郭泰、贾彪等为首的一批学生领袖，一方面在太学中进行反宦官政治的组织和宣传；另一方面，又吸收社会上有识有才能者入太学，以扩充自己的阵容。太学成为当时一个政治活动中心。

153年，朱穆任冀州刺史，认为宦官赵忠葬父僭越规制，挖坟剖棺，逮捕其家属治罪。汉桓帝闻讯，反将朱穆判刑，这引发了历史上第一次大规模的学生请愿运动。桓帝只好赦免了朱穆。

162年，皇甫规平羌有功，因不从宦官敲诈，被诬陷判服苦役。于是，太学学生三百余人又发起第二次请愿运动，皇甫规因而得以赦免。

宦官张让的弟弟张朔在李膺（yīng）的管辖内担任县令，行事贪残暴虐，为了躲避惩治，藏在张让家里。李膺亲自带领公差到张让家，在夹墙里搜出张朔。张让见势不妙，赶快托人去求情，但是李膺已经把案子审理清楚，把张朔杀了。这件事情让宦官的嚣张气焰有所收敛。读书人都以能得到李膺的接见为荣，上门拜访称为"登龙门"。

第二年，方士张成和宦官来往密切，他从宦官那里得知，朝廷即将颁布诏令大赦天下，于是纵容儿子行凶。李膺将其逮捕，准备依法处斩时，朝廷刚好公布大赦天下的诏令。张成非常得意，要求李膺遵照赦令放人。李膺大为愤怒，说："张成预先知道赦令，故意纵子行凶，赦令就不应该轮到他们头上。"于是将张成父子一并处斩。

本来就痛恨李膺的宦官，唆使张成的弟子上书，诬陷李膺和太学学生结成朋党诽谤朝廷。桓帝下令逮捕党人。受此案牵连的士人多达两百多人，都是享有名望的贤士，如杜密、陈寔、范滂等。太尉陈蕃认为罪名不成立，拒绝在诏书上签名。桓帝跳过司法程序，直接让宦官负责审案，李膺、陈寔、范滂等人慨然赴狱。

太尉陈蕃再次上书，规劝桓帝释放党人。桓帝不但没有听

党锢之祸

从，反而罢免了陈蕃。窦皇后的父亲窦武同情这些士子，于是上书营救他们。而李膺等人在狱中招供时，故意牵涉宦官子弟。宦官害怕事态扩大，祸及己身，于是以日

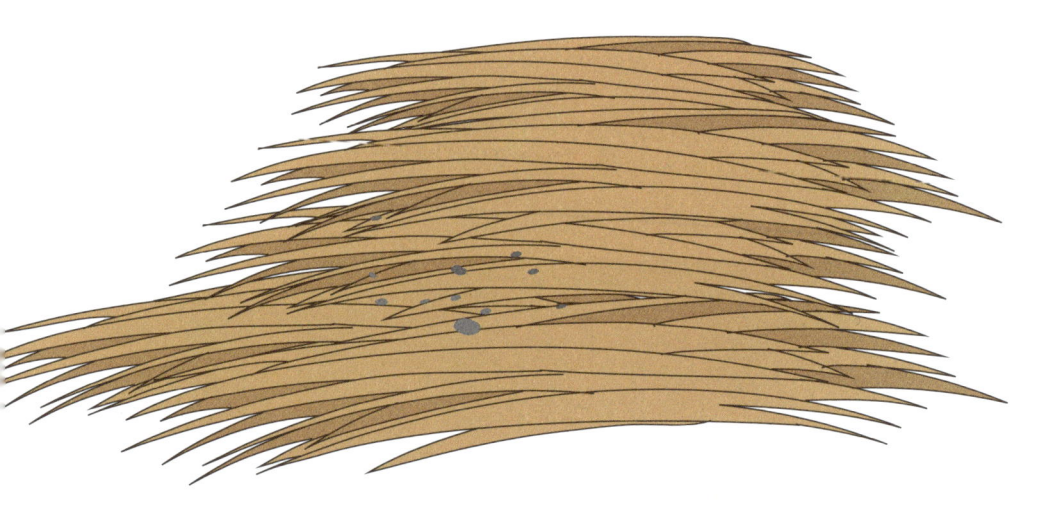

食为借口请求桓帝将党人全部赦免。于是，桓帝下令将党人全部赦免，将他们全部罢官，并终生不得为官。这就是第一次党锢之祸。

党人虽被罢官归田，但是得到了社会敬仰。范滂出狱归乡，迎接他的车辆多达数千。

桓帝死后，灵帝继位，宦官的权势更大。太傅陈蕃和大将军窦武为了肃清朝政，密谋除掉宦官，不幸事情泄露，反被诛杀。宦官也开始对党人下毒手。

169年，宦官诬告士人张俭结党，意图谋反，大兴牢狱。李膺、杜密、范滂等一百多人被捕并枉死狱中。张俭逃亡塞外，得以幸免。在逃亡途中，张俭曾在百姓家借宿。百姓知道是张俭，都宁愿冒着家破人亡的危险收留他。因为窝藏张俭被官府诛杀的有十多人，而被牵

党锢之祸

连的人几乎遍及全国，有的郡县甚至因此而残破不堪。

八年之后，永昌太守曹鸾上书为党人鸣冤，请求解除禁锢。灵帝勃然大怒，将曹鸾收捕并处死。然后下令全国各级官府，重新调查，只要和党人有一点沾亲带故，全部被免职，终生禁锢不得为官。这便是第二次党锢之祸，打击面也更广。自此以后，士人噤口，万马齐喑，社会陷入黑暗和混乱之中。

不久之后，黄巾起义爆发。灵帝不得不大赦党人，解除禁锢。至此，党锢之祸才算结束。

【知识拓展】

陈蕃：汝南平舆（今河南平舆）人，东汉时期名臣，与窦武、刘淑合称"三君"。任豫章太守时，礼请徐稚担任功曹。陈蕃在郡里从不接待宾客，只有徐稚来时特设一个榻，徐稚走了就悬挂起来。这就是陈蕃下榻的典故。

黄巾起义

东汉末年,统治集团日趋腐朽,豪强势力日益扩张,当政的外戚宦官竞相压榨农民,农民处境日益恶劣。天灾加上人祸,百姓颠沛流离,正常的社会秩序几乎完全破坏,流亡的农民走投无路,终于酿成中国历史上第一次组织、准备严密的农民大起义——黄巾起义。

黄巾起义的领袖张角是河北巨鹿(今河北平乡西南)人,奉黄老学说,自称"大贤良师",传布"太平道"。仅在十几年内,太平道就在广大地区联系了几十万的贫苦农民。张角把这几十万的农民划为三十六方,每一大方有一万多人,小方也有六七千人,每方各有首领,称为"渠帅"。

时机成熟后,张角决定在甲子年(184年)发动起义,提出"苍天已死,黄天当立。岁在甲子,天下大吉"的口号,其中"苍天"指东汉,"黄天"则是张角自称,意思是说东汉王朝气数已尽,自己将取而代

黄巾起义

之。然后，张角暗中派人在京城洛阳的大小官府衙门的墙壁上，用白土写"甲子"两个大字，作为起义的暗号和标志。

184年，张角派大方渠帅马元义调集数万起义军，去京城洛阳活动。马元义来到洛阳后，与宦官封谞（xū）、徐奉等内应接洽，商量起义事宜，并约定好起义日期。不料起义军中出现叛徒告密，马元义以及京师信奉太平道的"宫省直卫"、百姓一千多人被捕。

张角得知后，星夜下达提前起义的命令，起义军头裹黄巾，张角自称"天公将军"，他的弟弟张宝称"地公将军"，张梁称"人公将军"。全国顿时烽火弥天。

汉灵帝起用涿郡大豪族卢植为北中郎将，率领精兵数万征讨巨鹿黄巾，又提拔皇甫嵩为左中郎将，朱儁（jùn）为右中郎将，率四万精锐武装围剿颍川黄巾军，在河北、颍川、南阳三个主要战场上展开了殊死搏斗。地方豪强为维护自身利益也参与进来，朝廷的镇压和地方官府豪强的殊死抵抗，使黄巾起义军遇到很大困难，被分割在各个战场上孤立作战。

184年4月，面对皇甫嵩与朱儁四万精兵，颍川黄巾军毫不畏惧，迎头痛击右中郎将朱儁，又在长社（今河南长葛东北）包围了左中郎将皇甫嵩，被包围的汉军大为惊恐。但起义军缺乏军事经验，于6月在西华被击

苍天已死
黄天当立

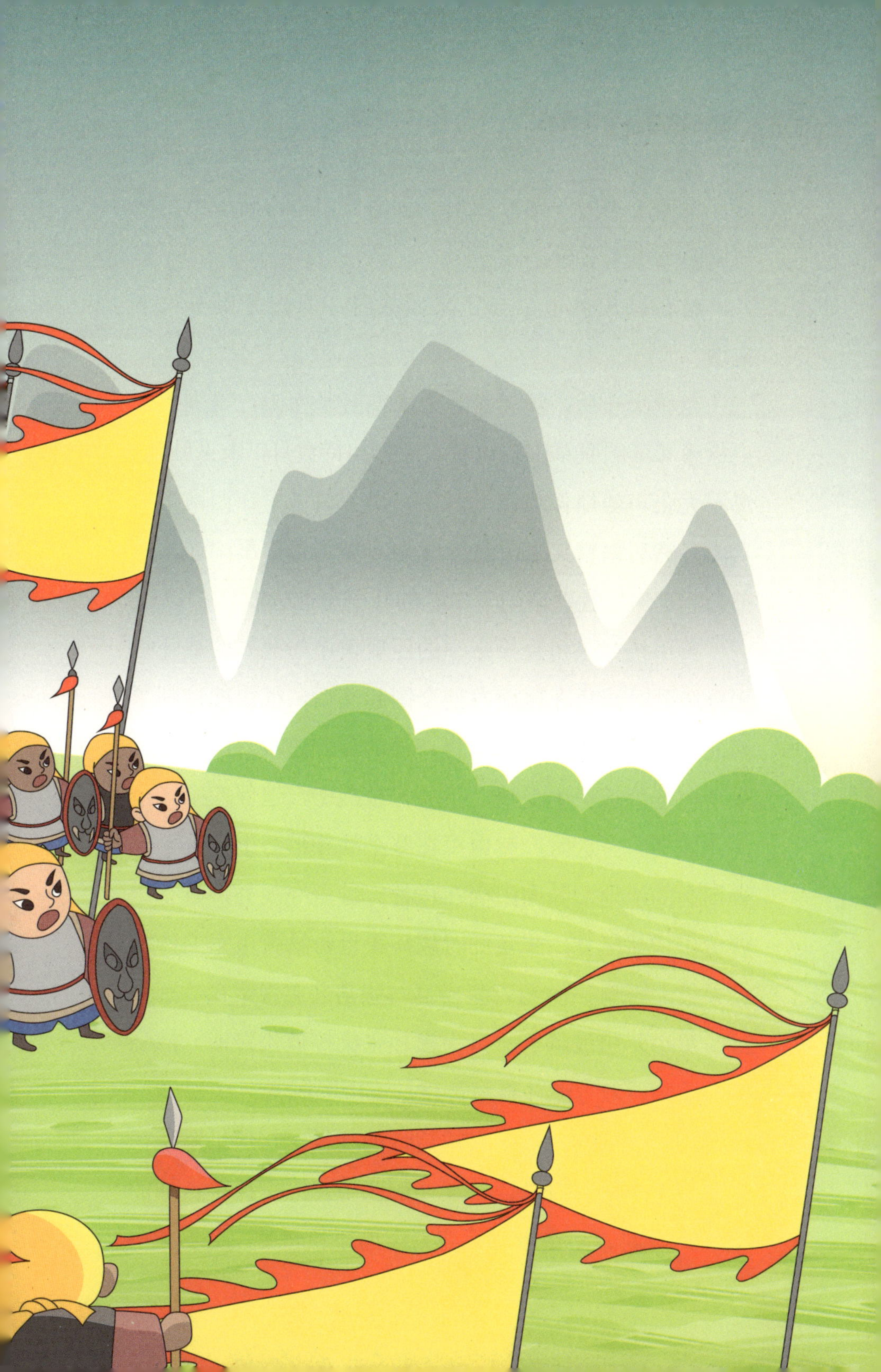

破。幸免于难的一部分颍川、汝南黄巾军，转战至宛城与南阳黄巾军汇合。

就在颍川黄巾军与官军血战时，南阳黄巾军攻下宛城。

宛城失守后，汉灵帝急诏朱儁赶赴南阳，与荆州刺史徐谬和秦颉联军围攻宛城。双方相持数月，未见胜负。汉军大张声势地佯攻宛城西南，诱使黄巾军在西南集中兵力，然后率精兵五千从东北角攻城。黄巾军中计，大部分起义军牺牲，南阳黄巾军的斗争至此失败。

黄巾统帅张角直接带领的巨鹿黄巾与敌人的战斗也十分激烈。张角在巨鹿发动全国起义后，很快就控制了河北腹地，顶住了北中郎将卢植的猛烈进攻。至6月，张角在连续战争中受挫，损失万余战士，退保广宗（今河北威县）。这时，黄巾军在整个战斗形势上已处于十分不利的境地，除南阳尚在进行宛城争夺战外，只有巨鹿黄巾依然挺立。张角此时因病去世，给黄巾军的作战带来很大影响。10月，皇甫嵩与张角之弟张梁在广宗大战，黄巾军越战越勇，皇甫嵩趁张梁等放松警戒，拂晓发动攻势，双方缠斗直至黄昏，黄巾军崩溃。

广宗战役是一场具有决定性的战役，它使仍坚持在下曲阳（今河北晋县西）战斗的张宝，陷于孤军奋战的境地。11月，皇甫嵩同巨鹿太守冯翊和郭典，合攻黄巾

军的最后一个阵地——下曲阳。张宝与十万战士同仇敌忾，拼死鏖战，最后英勇牺牲。

黄巾军主力虽仅9个月便被镇压下去，但许多地区的黄巾军依旧坚持斗争。直至192年，黄巾军才在曹操的镇压下归附。

【知识拓展】

皇甫嵩：字义真，东汉末期名将。黄巾起义爆发时，任左中郎将。皇甫嵩成功镇压了起义军，后官至太尉，被封为槐里侯。

官渡之战

黄巾起义被镇压后，各地割据势力迅速发展起来，东汉政权名存实亡。在割据的地主武装集团中，势力较大的是黄河中下游以北的袁绍和黄河中下游以南的曹操。196年，曹操把献帝迎到许昌，改年号为建安，政治上"挟天子以令诸侯"。

200年正月，袁绍讨伐曹操，直攻许昌。谋士田丰向袁绍建议："现在许都已经不再空虚，怎么还能去袭击呢？曹操兵马虽然少，但是他善于用兵，变化多端，可不能小看他，还是做长期打算吧。"袁绍不听，派沮授为监军，从邺城出发。

当时，袁绍占据青、冀、幽、并四州，有部众数十万人，地方大，军队多，军粮充足，相比之下，曹操的处境很不利。曹操和他的谋士分析了一下双方情况，认为袁绍集团内部存在许多致命弱点，可以同他较量一下。

官渡之战

袁绍遣大将颜良进攻白马，企图夺取黄河南岸要点，以保障主力渡河。曹操得知后，想亲自率兵前去解白马之围。谋士荀攸向曹操建议："敌人兵多，我们人少，不能跟他们硬拼。不如分一部分人马往西在延津一带假装渡河，把袁军主力引到西边，然后派一支轻骑兵迅速赶往白马，打他们措手不及。"曹操采纳了荀攸的建议，袁绍果然分兵赶往延津。曹操趁机率领轻骑，一举击溃袁军，解了白马之围。

袁绍听到曹操救了白马，大怒。监军沮授劝袁绍把主力留在延津南面，分一部分兵力出击。但是，袁绍怒火中烧，不听沮授劝告，下令全军渡河追击，并派大将文丑率领数千骑兵打先锋。这时，曹操从白马向官渡撤退。听说袁军来追，就把六百名骑兵埋伏在延津南坡，叫兵士解下马鞍，让马在山坡下吃草，把武器盔甲丢得满地都是。

文丑的骑兵赶到南坡，看见这情景，认为曹军已经逃远，叫兵士收拾那些丢在地上的武器。突然曹操一声令下，伏兵一齐冲杀出来。袁军来不及抵抗，被杀得七零八落，文丑也糊里糊涂地丢了脑袋。

监军沮授说："我们尽管人多，可不像曹军那么勇猛；曹军虽然勇猛，但是粮食没有我们多。所以我们还是坚守在这里，等曹军粮草耗尽，他们自然会退兵。"

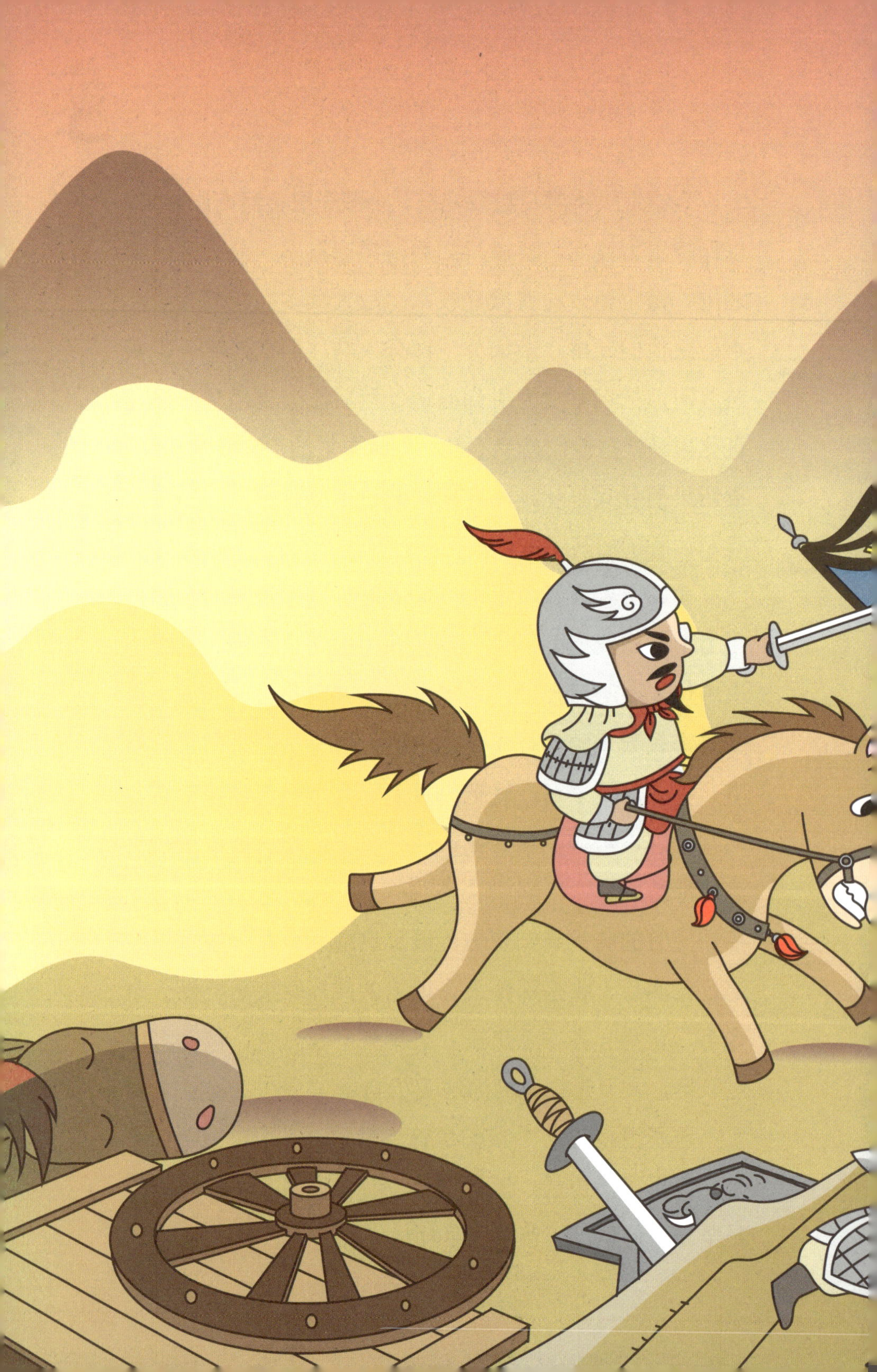

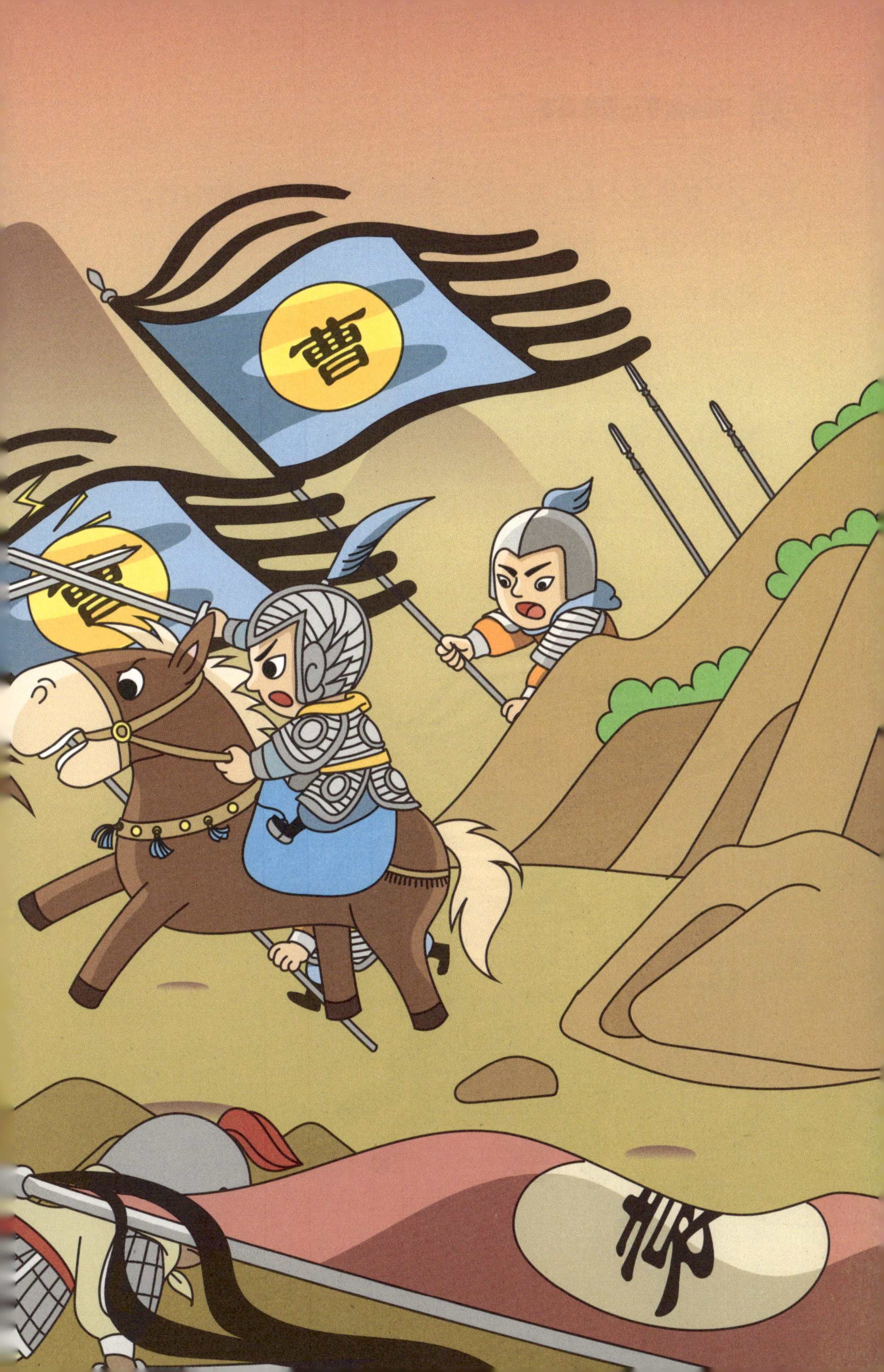
曹

袁绍又不听，命令将士继续进军，一直赶到官渡，才扎下营寨。曹操的人马早已回到官渡，布好阵势，坚守营垒。

双方在官渡相持了一个多月。曹军粮食越来越少，兵士疲劳不堪，曹操有点支持不住了。这时，袁绍的军粮却从邺城源源不断地运来，大批军粮屯集囤积在离官渡四十里的乌巢。

袁绍的谋士许攸探听到曹操缺粮的情报，向袁绍献计，劝袁绍派出一小队人马，绕过官渡，偷袭许都。袁

官渡之战

绍不听。许攸还想劝他，正好有人从邺城送给袁绍一封信，说许攸家里的人犯法，被当地官员逮了起来。袁绍看了信，把许攸狠狠地责骂了一通。许攸又气又恨，连夜投奔曹操去了。

曹操听说许攸来投奔他，高兴得来不及穿鞋子，光着脚跑出来欢迎许攸，说："您来了，我的大事就有希望了。"

许攸坐下来说："现在你们的粮食还有多少？"

曹操说："还可以支持一年。"

许攸冷冷一笑，说："没有那么多吧！"

曹操改口说："嗯，只能支持半年。"

许攸说："为什么在老朋友面前还要说假话呢？"

曹操只好照实说："只能维持一个月，您看怎么办？"

许攸说："现在袁绍有一万多车粮草、军械，全部放在乌巢，防备很松懈。您只要带一支轻骑兵去袭击，把他的粮草全部烧光，他就不战自败了。"

曹操得到这个重要情报后，立刻把荀攸和曹洪找来，吩咐他们守好官渡大营，自己带领五千骑兵，连夜向乌巢进发。

袁绍得知这一情况后，不派重兵增援，竟命令高览、张郃等大将领兵攻打曹营。张郃认为粮草重要，主张先救乌巢，但袁绍手下谋士郭图迎合袁绍意图，坚决主张

攻打曹营。曹操得知袁军进攻大本营的消息,并不马上回救,奋力击溃乌巢袁军,将袁绍在乌巢积存的粮草全部烧毁。乌巢军粮被烧,曹军大本营久攻不下,袁军上下人心惶惶。曹军趁机发动全面攻击,消灭了袁军主力七万多人。袁绍只带着八百骑兵仓皇北逃。

官渡之战,曹操以两万左右的兵力,出奇制胜,击破袁军十万大军,在统一北方的道路上迈出了重要的一步。

【知识拓展】

许攸:字子远,南阳(今河南南阳)人。年轻时与袁绍、曹操交好,初为袁绍谋士,官渡之战时,许攸投奔曹操,并为曹操出谋打败袁绍。后随曹操平定冀州,因自恃其功而屡屡口出狂言,轻慢曹操,不分场合,直呼曹操小名,说:"阿瞒,没有我,你得不到冀州。"一次,许攸出邺城东门,对左右说:"这家人没有我,进不得此门。"最终触怒曹操被杀。

三顾茅庐

东汉末年黄巾起义,刘备多次立下战功,先后担任县令之类的小官。辞官后,刘备辗转流离,先后依附多个诸侯。官渡之战时,刘备依附袁绍,被袁绍派往汝南以扰乱曹操的后方。官渡之战后,曹操亲率大军征讨刘备,刘备不敌,往荆州投靠刘表。

刘表素闻刘备贤名,令他屯驻新野。刘备礼贤下士,荆州的豪杰之士争相归附,因而引起刘表的猜疑。刘备胸有大志,曾立誓要光复汉室,如今被刘表打压,不禁黯然神伤。刘备意识到寄人篱下难以施展抱负,但是手下将领只有关羽、张飞、赵云可堪大用,而谋士不过糜竺、孙乾之流,力量不足以自立门户,之前历尽各种失败也是这个原因,所以当务之急是尽可能招纳人才。

在襄阳,有一个叫司马徽的名士,为人高雅,善于鉴别人才,人称"水镜"。刘备得知后,立即前往拜访这位水镜先生。司马徽对刘备说:"能认清天下形势的,只有俊杰之士。在襄阳，能够称得上俊杰之士的有卧龙和凤雏。"刘备立即请教他们是谁，司马徽回答说："卧龙是诸葛亮，而凤雏则是庞统。如果能够得到他们两个其中一个的辅佐，就能得到整个天下。"刘备将司马徽的话记在心里。

诸葛亮隐居在襄阳隆中，经常把自己比作管仲和乐毅。当时的人都觉得诸葛亮狂妄自大，只有颍川人徐庶与崔州平认可，觉得诸葛亮的才能确实可以和管仲、乐毅相比。后来徐庶到新野投靠刘备，为刘备整顿军事，并献策击退了来犯的曹仁大军。刘备因此对徐庶器重不已，而徐庶也想要在刘备麾下效力，施展才华。曹操得知徐庶辅佐刘备，就将徐庶的母亲押至许昌，徐庶不得已弃刘奔曹。在临走前，徐庶向刘备推荐了诸葛亮，他

说:"诸葛亮这个人,你可以去见他,但不可以召唤他来,而应当屈驾去拜访他。"刘备之前就听到司马徽的推荐,如此一来,便决心亲自邀请诸葛亮出山。

刘备、关羽、张飞三人第一次到隆中卧龙岗去寻访诸葛亮时,恰巧诸葛亮不在,刘备只得失望而回。数日之后,刘备冒着大雪再次上门拜访,又扑了个空,只得留下一封信,表达自己对诸葛亮的敬佩和请他出来帮助自己挽救国家危急局面的渴望。一段时间之后,刘备再次拜访诸葛亮。这次到诸葛亮的家里时,已经是中午,诸葛亮正在睡觉。刘备不敢惊动他,一直站到诸葛亮醒来,才坐下谈话。

刘备问诸葛亮:"汉朝的天下分崩离析,奸臣窃取政权,皇上逃难出奔。我没有估量自己的德行,衡量自己的力量,想要在天下伸张大义,但是智谋浅短,您说该采取怎样的计策呢?"

诸葛亮为刘备分析天下大势说,自董卓篡权以来,各地豪杰纷纷起兵,占据几个州郡的数不胜数。现在曹操已拥有百万大军,挟制皇帝来号令诸侯,不能与他较量。孙权占据江东,已经历了三代,地势险要,民众归附,有才能的人被他重用。对于孙权可以引为外援,但不能企图谋取。荆州的北面控制汉、沔二水,一直到南海的物资都能得到,东面连接吴郡和会稽郡,西边连通巴、

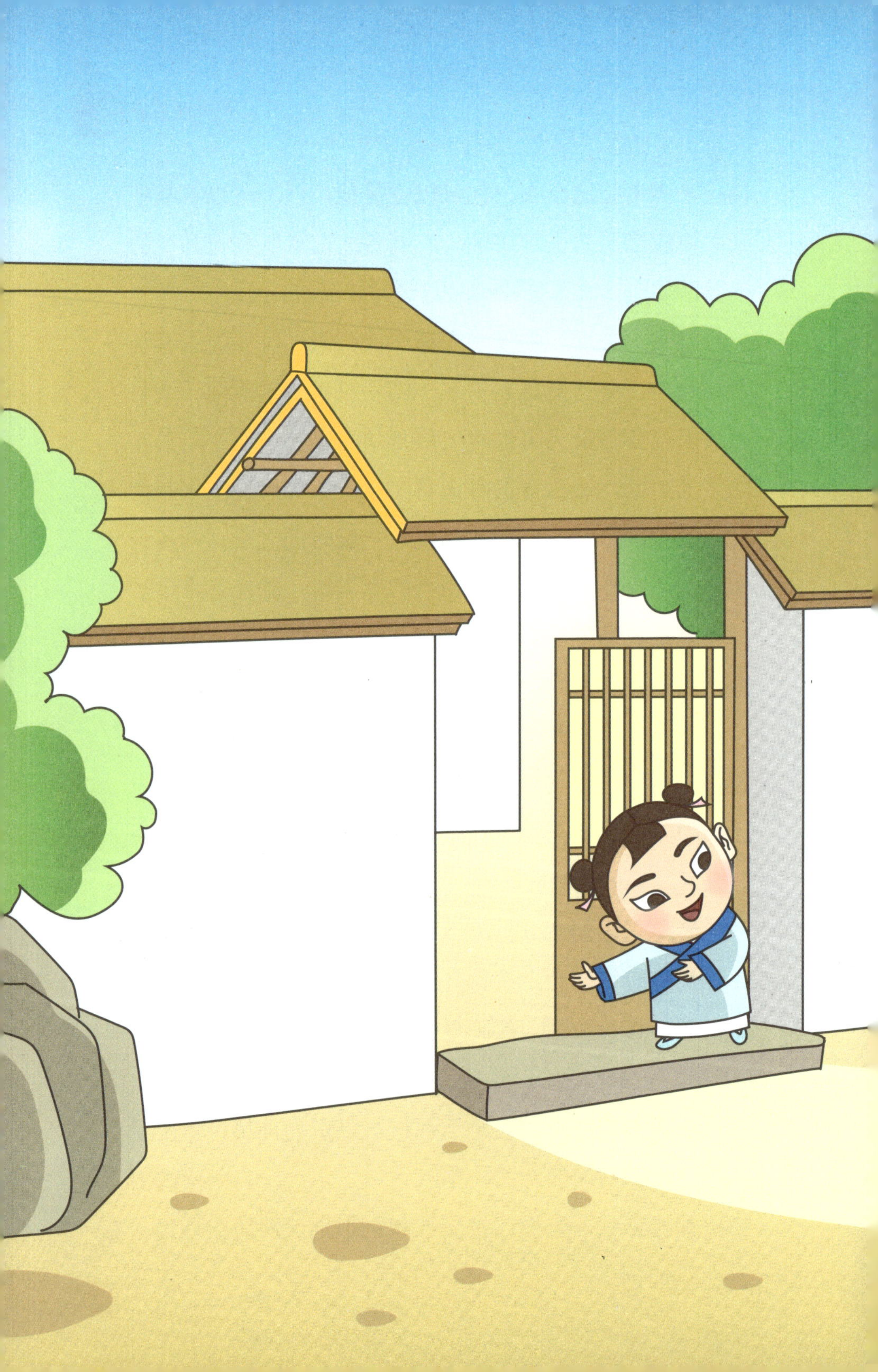

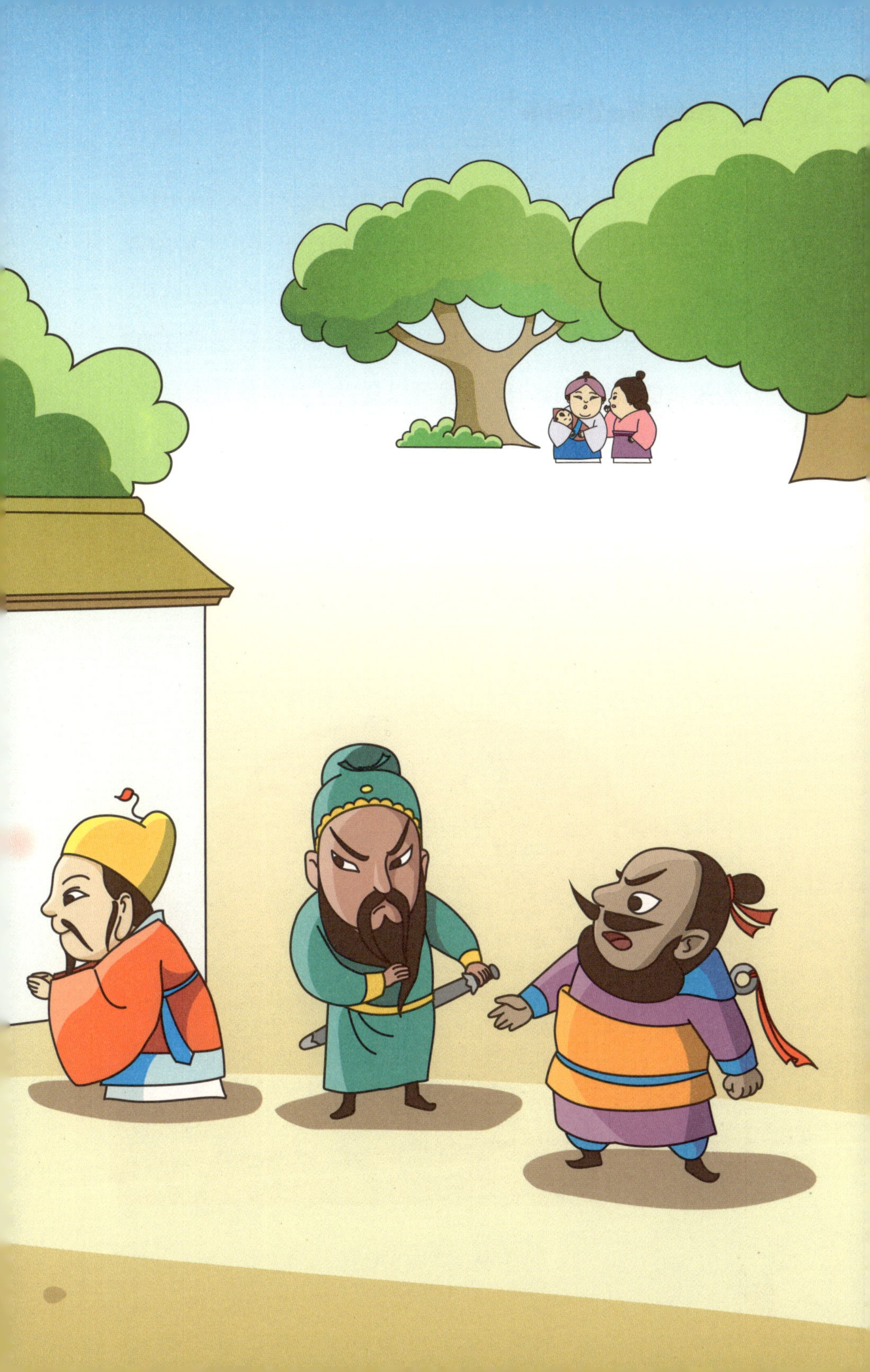

蜀二郡，这是兵家必争之地。益州有险要的关塞，有广阔肥沃的土地，是自然条件优越、物产丰饶、形势险固的地方。如果占据了荆州、益州，凭借两州险要的地势，西面与各族和好，南面安抚各族，对外跟孙权结成联盟，如果真的做到这样，汉朝就可以复兴了。刘备喜不自胜，诚邀诸葛亮出山相助，诸葛亮有感于刘备的诚意，决定出山。

从此，刘备与诸葛亮的情谊日益深厚，刘备说："我得到诸葛亮，如鱼得水。"

【知识拓展】

刘表：字景升，山阳郡高平县（今山东微山）人，东汉末年名士，少时知名于世，名列"八俊"。刘表任荆州刺史期间，爱民养士，恩威并著，社会治理有序，百姓悦服。

火烧赤壁

曹操占据江陵以后,谋士贾诩(xǔ)曾建议利用荆州丰富的资源,休养军民,巩固新占地区,然后再东下夺取江东。但是,曹操觉得自己轻易赶走了刘备,使刘备"几无可立锥之地",占据了富饶险要的荆州,又收编了刘琮的军队,补充了自己的水军,获得了大量军资,兵力更加强大,刘备、孙权都不在话下。因此,他没有认真考虑贾诩的建议,迅速挥兵顺流东下。

在夏口的刘备得知曹军日益逼近,心里很着急,每天派人探听孙权方面的消息,后来终于得到报告说孙权已下令抗曹,并派水军前来会合。两军会合后,马上西上迎敌。

曹军在赤壁(今湖北嘉鱼,在长江南岸)与孙刘联军相遇。曹操的先头部队被孙刘联军打败,退到北岸的乌林,与主力会合,双方在赤壁一带隔江对峙。诸葛亮、周瑜在分析曹军情况时指出曹军虽然势大,但发挥不出

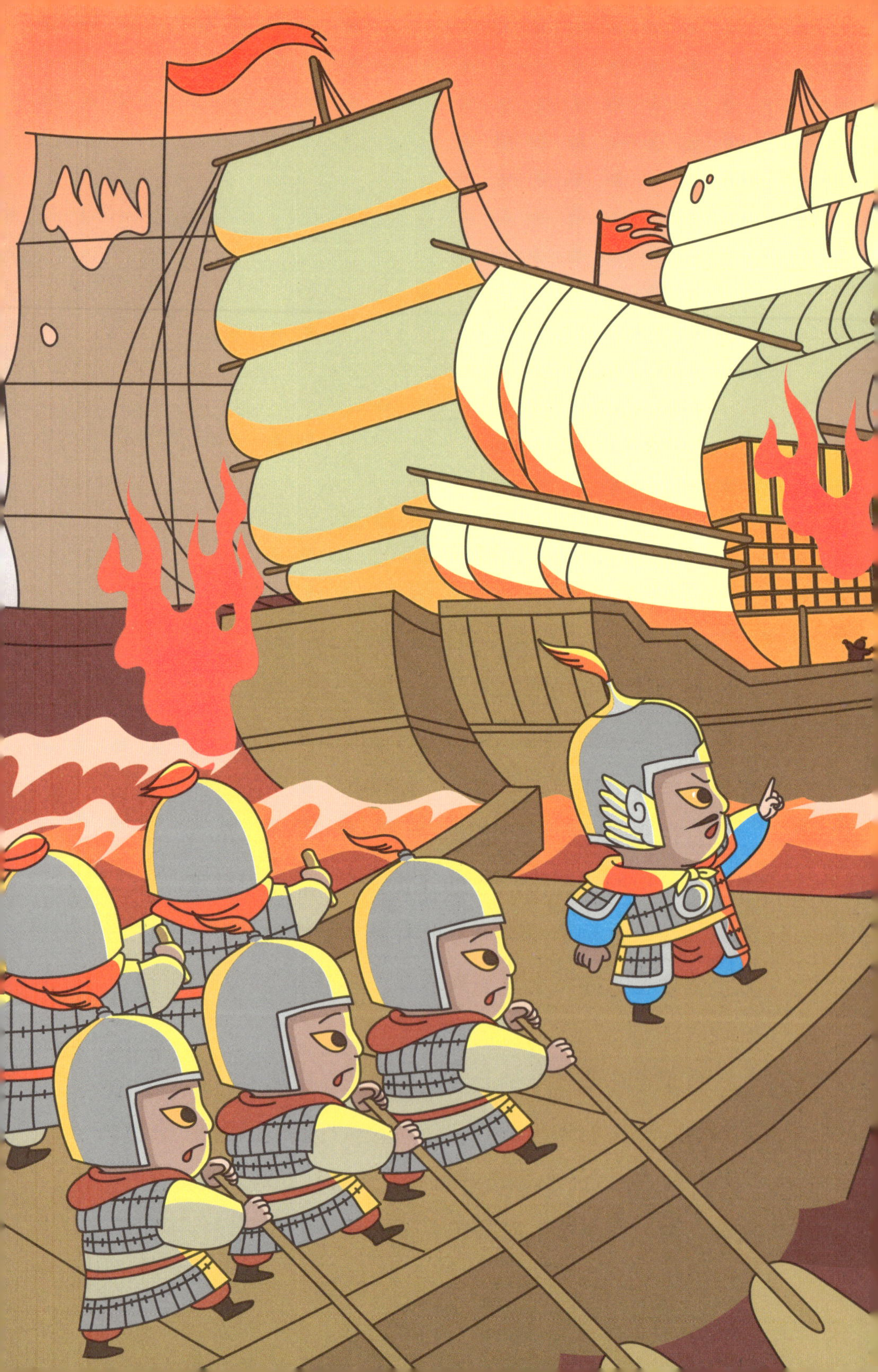

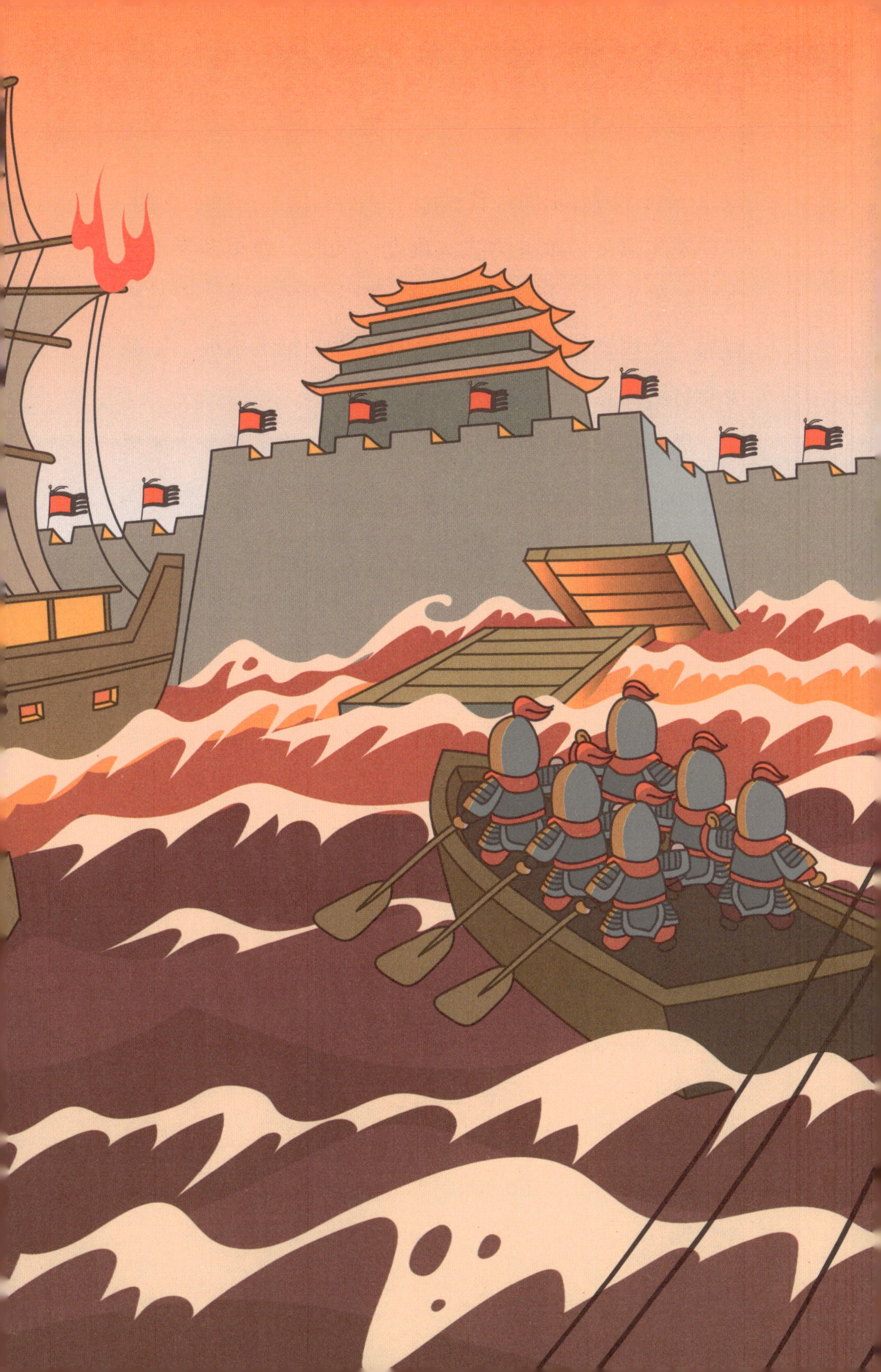

很强的战斗力。果然，曹操的军队初到南方，水土不服，军中发生瘟疫，战斗力大大削弱。同时，曹军多半不习水性，受不了江上风浪的颠簸，根本不能战斗。于是，曹操下令用铁索将战船连在一起，上面铺上木板，以减少船身的摇晃。

周瑜的部将黄盖对孙权说："现在敌多我少，如果长期相持，对我们很不利，必须赶快设法破敌才行。如今曹军用铁索把战船连起来，首尾相接，我们可以用火攻的办法打败他们。"

周瑜也正有这个想法，但实现火攻的条件是在敌人不防备的情况下接近他们，否则难以奏效。周瑜跟黄盖商量，决定采用诈降的办法深入曹营。黄盖派人到曹营去投书，表示要投降。

曹操得到降书后，开始有些怀疑，但信中说得合情合理，再加上他过分自信，便对黄盖深信不疑，并同送信人约定黄盖投降的时间和信号。一天，黄盖带领十艘大船，船上装满干草，里面浸上油液，外面用布幕裹好，插上约定的旗号，又在每艘大船的后边拴上机动灵活、便于攻战的小艇——走舸。黄盖借归降靠近曹船，之后命令十艘大船的士兵同时点火，冲向曹军水寨，然后跳上小艇逃走。这时正刮着猛烈的东南风，火借风势，风助火威，顷刻间，曹军战船燃烧起来。曹操下令解开铁

火烧赤壁

索，无奈火势太猛，水寨很快淹没在火海中。接着，烈火又蔓延到岸上曹军营寨，曹军大乱，孙刘联军乘机发动猛攻。曹军本来多为陆军，不习水战，又加上突如其来的火攻和对方精锐水军的猛烈攻击，被杀得落花流水，伤亡很大。

曹操见大势已去，忙带领残兵败将，从陆路经华容（今湖北监利东北）向江陵逃去。道路泥泞，战马陷入泥中难以行进，曹操派兵寻找枯枝杂草填在路上，才勉强通过。一路上败逃的士兵争先恐后，自相践踏，又死了不少。刘备、周瑜率领联军水陆并进，一直追赶到南郡。曹操留下征南将军曹仁、横野将军徐晃守江陵，折冲将军乐进守襄阳，自己率部回北方。赤壁之战终以

孙刘联军的胜利和曹操的失败告终。

　　赤壁之战后，孙、刘双方都进一步发展势力。周瑜率兵攻打江陵的曹仁，取得了江陵及其以东的大片土地。刘备则乘胜向武陵、长沙、桂阳、零陵四郡（都在今湖南境内）发展势力，占据了荆州江南部分。

　　赤壁之战是三国鼎立局面形成的重要战役。战后，曹操退回北方，一时无力南下，便向关西（潼关以西）发展势力。刘备以荆州为根据地，向益州地区进军。孙权稳定了在江东的统治，得以向岭南地区扩张。这样，三国鼎立局面便逐渐形成了。

【知识拓展】

　　周瑜：字公瑾，庐江舒县（今安徽庐江）人。在《三国演义》中，周瑜因胸量狭小，被诸葛亮气死。实际上，历史中的周瑜为人宽宏，南宋名臣范成大誉之为"世间豪杰英雄士、江左风流美丈夫"。

大意失荆州

自刘备攻取益州以来，关羽一直坐镇荆州。荆州包括南阳、南郡、江夏、武陵、长沙、桂阳、零陵七个郡，是曹操、刘备、孙权三方必争的战略要地。赤壁之战后，曹操还占据着南阳郡和南郡的北部，孙权占据着江夏郡和南郡的南部，其余四郡被刘备所"借"。孙权曾多次派人接手长沙、零陵、桂阳三郡，都被拒绝。孙权大怒，派吕蒙率领两万兵马用武力接收这三个郡。吕蒙夺得了长沙、桂阳两郡后，刘备亲率五万大军下公安，派关羽带领三万兵马到益阳去夺回那两个郡。孙权也亲自到陆口，派鲁肃领一万兵马驻扎在益阳，与关羽相持。东吴的军队和关羽的军队都在益阳扎营下寨，形成对峙。

孙、刘两家都知道曹操是实力最为强大的敌手，于是双方讲和，把荆州分为两部分，以湘水为界，湘水以西归刘备，湘水以东归东吴。刘备处置好荆州的事情后，无后顾之忧，便集中力量对付曹操。刘备令诸葛亮坐镇成都，亲率大军向汉中进兵。得知刘备进犯汉中，曹操当即组织兵力对抗，并亲自赶往长安指挥战斗。双方在汉中战场相持一年多，最终蜀军主将黄忠斩杀魏军主将夏侯渊取得胜利，刘备由此成为汉中王。

为了实现诸葛亮和刘备所筹划的跨荆、益二州，待时机成熟时荆州军队直下宛、洛，完成统一大业的计策，关羽一直虎视襄、樊。在西北面取得突破性的进展后，刘备派荆州军北攻曹操。

建安二十四年（219年），关羽令糜芳驻守江陵，傅士仁驻守公安，以消除后顾之忧，然后亲率大军向襄阳、樊城进发，很快将襄阳、樊城包围起来。樊城守将曹仁抵挡不住关羽军队的进攻，于是坚守不出并向曹操求援。曹操从汉中撤军到长安后派遣平寇将军徐晃率军支援曹仁，屯于宛城；之后又派左将军于禁、立义将军庞德率领七支人马前往救援，屯驻于樊城以北地势低洼的罾（zēng）口。

关羽长期坐镇荆州，对荆襄一带的地理环境和气候条件非常了解。在得知于禁驻军在低洼地区后，关羽命人打造战船，并调集水军。暴雨一连下了十多天，汉水泛滥，平地水积数丈。关羽命人堵住缺口，水淹七军。于禁等魏军将领登高避水，又遭到荆州水军的围攻，死伤惨重。无路可逃，于禁只得投降。

大意失荆州

关羽乘胜迅速包围樊城,又派遣另一支兵马包围襄阳。一时间,许多曹军纷纷向关羽乞降,关羽的威名震动整个中原。

曹操得知战报,想迁都以避开关羽的锋芒。司马懿建议:"于禁等人战败,是因为大水淹没,并非因为攻战失利,对国家大计没有构成大损害。刘备和孙权,从外表看关系密切,实际上很疏远,关羽得志,孙权必然不愿意。可派人劝孙权威胁关羽的后方,并把江南封给孙权,这样樊城之围自然就解了。"曹操采纳了司马懿的意见,派使者前往江东,与孙权结成联盟。

当初为了安抚结交关羽,孙权曾为自己的儿子向关羽的女儿提亲。关羽目中无人,认为虎女不能嫁给犬子,拒绝两家通婚,并侮辱孙权的使者,孙权因此大怒。曹操派使者前来结盟时,孙权答应与曹军合击关羽。

孙权将吕蒙从前线调回,而派陆逊接替。当时,陆逊年少多才却毫无名望,担任定威校尉。陆逊到任后,派使者给关羽送去了礼物和一封信,信上恭维关羽水淹七军,功过晋文公的城濮之战和韩信的背水破赵,还撺掇关羽继续发挥神威,夺取彻底的胜利。关羽见陆逊是个无名晚辈,对自己又如此恭敬,根本没把他放在眼里,就大胆放心地把荆州大部分军队陆续调到樊城。

趁关羽后防空虚,吕蒙命士卒穿着商人的衣服隐藏

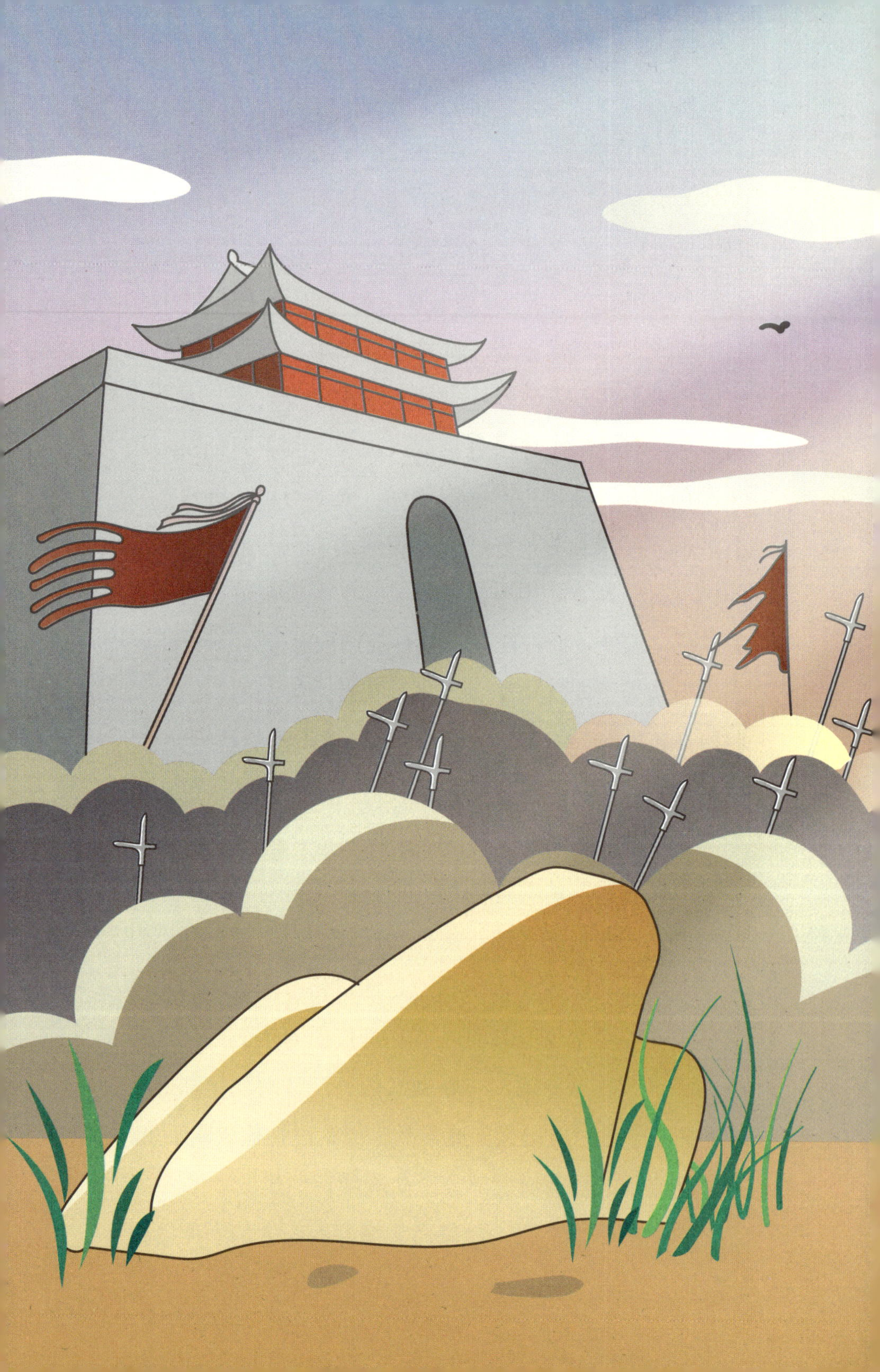

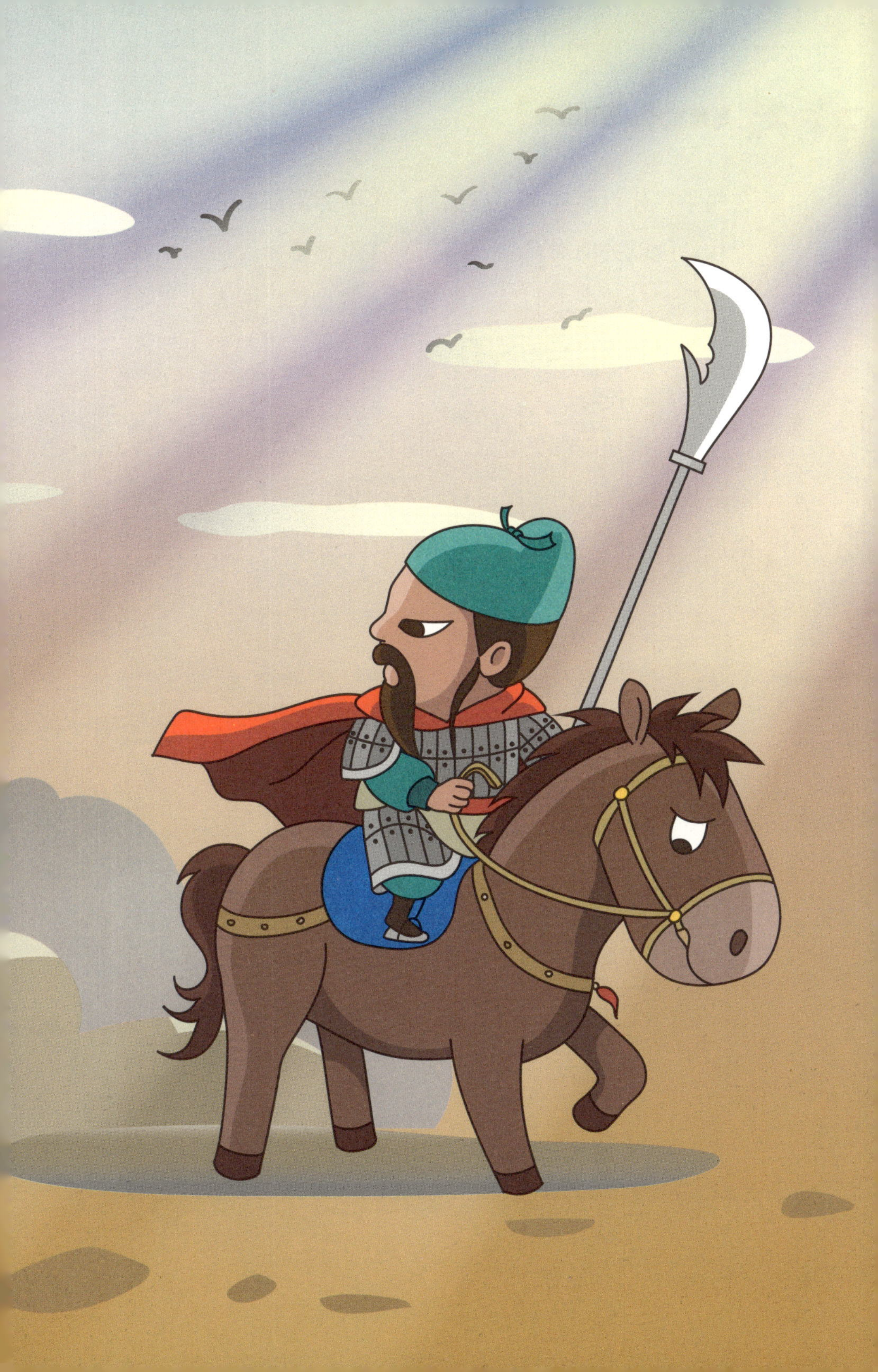

在船中，让百姓摇橹，沿江而上。因为沿江的守兵全被捉住，所以关羽对吕蒙"白衣渡江"一事一无所知。渡江之后，吕蒙令人写信招降糜芳、傅士仁。两人素来不满意关羽轻视自己，又因供应军用物资一事得罪关羽，于是向吕蒙投降。

关羽得知南郡失守后，立即将围攻樊城的兵力撤回，南下救援，曹仁则率军追击。关羽腹背受敌，败走麦城，最后被吕蒙部将擒获，一代英雄就此殒命。

【知识拓展】

陆逊：字伯言，三国时期吴国人，著名政治家，历任吴国大都督、上大将军、丞相，是吴国周瑜之后又一位军事家。

夷陵之战

刘备因为关羽被东吴擒杀而深感耻辱，欲兴兵雪耻，翊军将军赵云劝说刘备，如今最大的敌人是曹操，而不是孙权。如果先灭掉魏国，孙权自然归服。朝中许多大臣与赵云持相同看法，但是刘备执意兴兵报仇。

221年，刘备亲率大军进攻东吴，派将军吴班、冯习率兵马四万余深入夷陵地区。孙权得知刘备大军压境，多次派遣使者与刘备讲和，申明利害，但都遭到拒绝，于是命陆逊为大都督，统率五万兵马应战。孙权担心受到蜀、魏两国的夹击，于是向曹丕投降称臣。曹丕接纳了孙权的投降，承诺不会趁机出兵进攻东吴。孙权解决了北顾之忧，便集中力量对付刘备。

刘备从秭归出兵，进攻吴国，部将黄权向刘备建议："吴人强悍善战，难以在短时间内击败他们。而我们的水军顺着长江进攻东吴容易，逆水撤退却非常困难。不如让我担任先锋，率军向敌人发动进攻，您则坐镇后方，以备不测之虞。"刘备没有采纳黄权的意见，一意孤行，亲率将士向东吴进发。

蜀军远道而来，许多东吴将领建议趁其疲乏的时候出兵迎击，陆逊阻止说："刘备率领大军沿着长江东下，现在正是斗志旺盛的时候。况且他们现在占据着有利的地形，凭险设防，因此我们很难向他们发起进攻。就算我们成功发起进攻，也不能完全将他们击败，如果我们进攻不利，主力将会遭到重创，这不是明智的做法。所以，我们现在要做的就是激励将士的士气，观察形势的变化，然后集思广益，制定破敌策略。蜀军部署在山岭地带，不但无法展开兵力，反而让自己受困于乱石丛林中。我们要耐心等待，蜀军会因为自身的消耗而变得精疲力竭，

夷陵之战

到时便可一举破敌。"吴国的将领们不相信陆逊说的话，认为他惧怕刘备的大军，所以心里十分不满。

吴军坚守不出，蜀军无从一战，便在巫峡、建平至夷陵一线数百里的地上设立了几十个营寨。为了引诱陆逊出战，刘备分兵围攻驻守夷道的孙桓。孙桓是孙权的侄儿，许多将领要求出兵援助。陆逊知道这是刘备的诱敌之计，而且孙桓素得军心，夷道城防坚固，并不担心。另外，刘备多次派人到阵前辱骂挑战，但是陆逊仍坚持不出兵交战，从正月到六月，两军对峙了半年之久。

为了尽快与吴军决战，刘备派遣吴班率领数千人在平地扎营，吴军将领纷纷要求出击，陆逊认为其中有诈，所以没有听从诸将的要求。刘备见诱敌不成，只好收回预先埋伏在山谷中的八千兵马。

六月的江南，正值酷暑时节，蜀军将士不胜其苦。刘备无可奈何，只好将水军从船上转移到陆地，把军营设于深山密林里，依傍溪涧，屯兵休整，准备等待秋后再发动进攻。由于蜀军处于吴境两三百公里的崎岖山道上，远离后方，因此后勤保障多有困难，加上刘备百里连营，兵力分散，为陆逊实施战略反击提供了可乘之机。

不久，陆逊命令发动进攻。这回轮到手下将领们不解了，他们说："发动进攻，最好的时机是在敌军立足

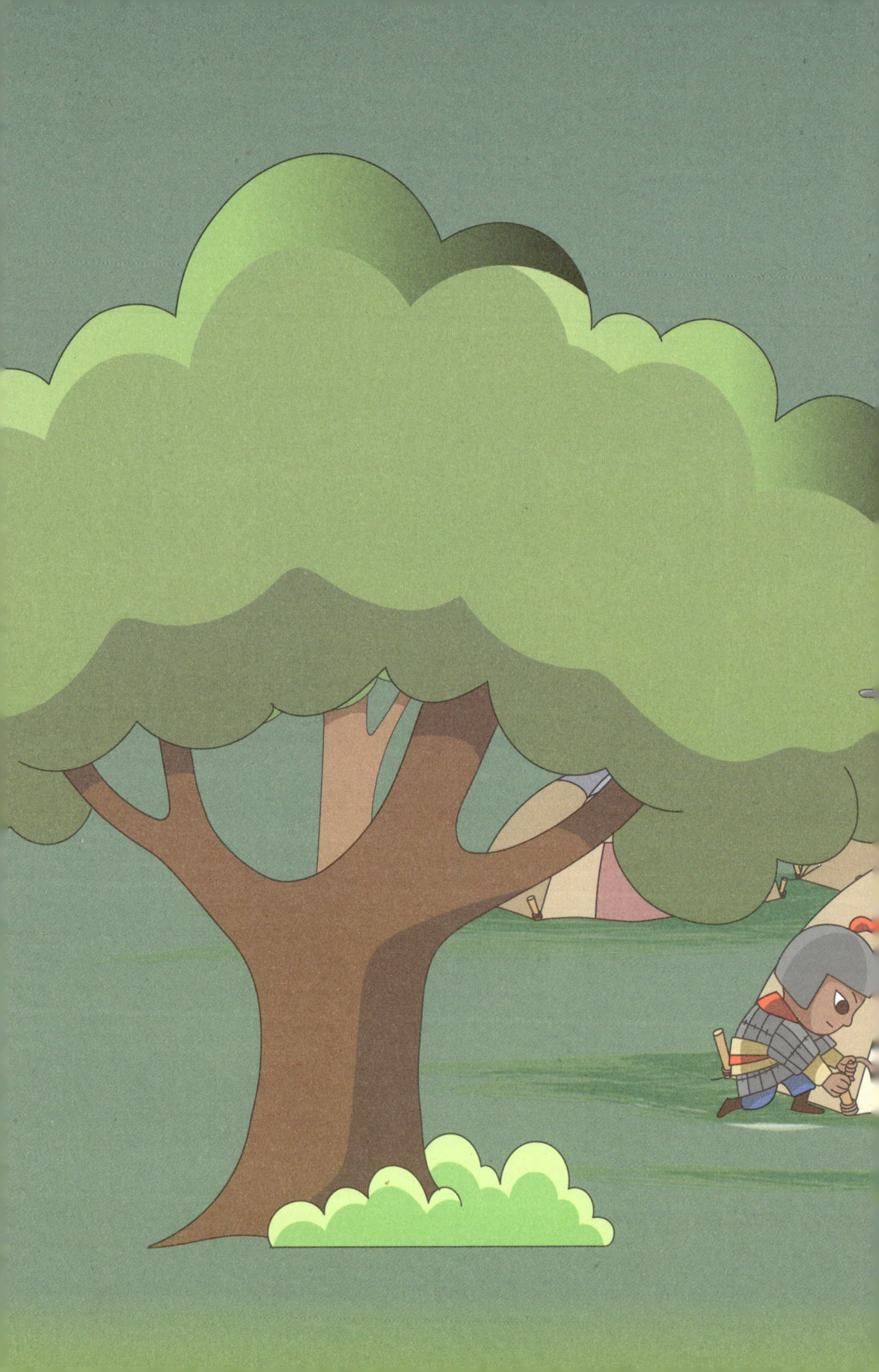

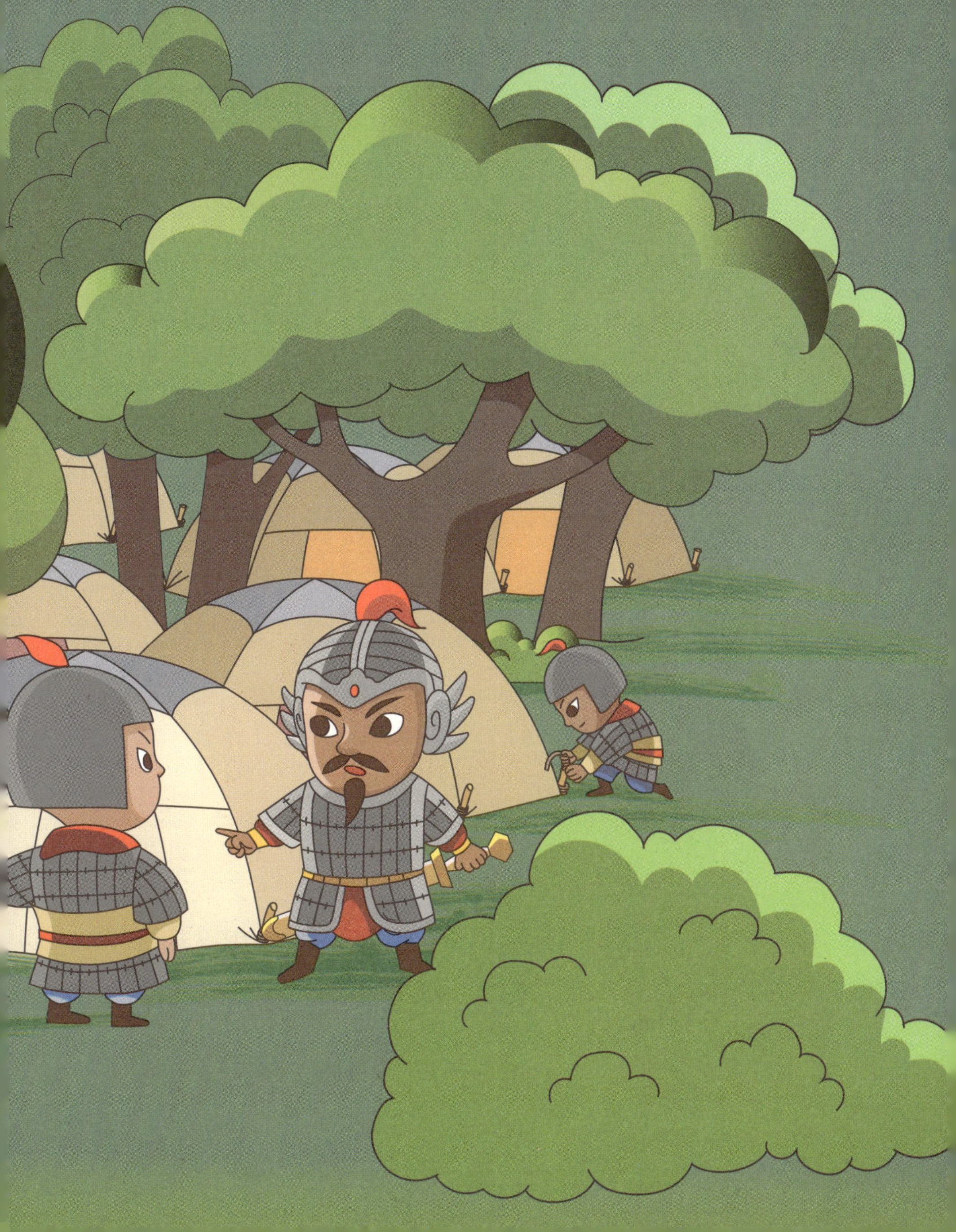

未稳的时候，现在蜀军占据险要，加强了防守，进攻恐怕不会顺利。"陆逊说："蜀军初来时，刘备考虑周详，我们很难有可乘之机。现在蜀军驻扎这么久，将士疲惫，士气低落，这正是我们发动进攻的好机会。"陆逊先派遣一小部分兵力进行试探，向蜀军的一个营垒发动攻击。进攻虽然失利，但是陆逊掌握了敌情，制定出破敌策略——火烧连营。

江南的夏天气候干燥酷热，蜀军又都驻扎在丛林旁边。陆逊命令每位士兵手拿一束茅草，夜间突袭蜀军营寨，顺风放火。顿时火光冲天，蜀军大乱。刘备突围而出，逃入白帝城，不久便病死城中。

夷陵一战，蜀国元气大伤。

【知识拓展】

夷陵：在今湖北宜昌，因"水至此而夷，山至此而陵"而得名。夷陵之战中，当魏文帝曹丕得知刘备连营七百里，就对群臣说："备不晓兵，岂有七百里营可以拒敌者乎！此兵忌也。"

七擒孟获

在刘备病死白帝城的时候，南方地区很有威信的少数民族首领孟获，联合西南一些部族起兵反抗蜀国。

为防止蜀国被夹攻，诸葛亮派人向东吴孙权讲和；同时，兴修水利，发展生产，积蓄粮草，训练兵马。经过两年的努力，蜀中形势趋于稳定，诸葛亮决定率领大军，兵分三路，亲自率军征讨孟获。

出发时，参军马谡对诸葛亮说："孟获叛将依仗那里地势险要，离成都距离遥远，很久以来就不服从朝廷的管束。你今天用武力打败他，待你回师，他明天又可能叛变。所以，对付他攻城为下，攻心为上。"这也正是诸葛亮心里所想的。

孟获得到诸葛亮率军出征的消息，连忙组织人马进行抵抗。诸葛亮知道孟获作战勇猛，但缺少计谋，一个降服孟获的妙计在头脑里形成。

首先，他向全军发出命令：对敌人首领孟获，只能活捉，不要伤害。接着，他把大将王平叫到跟前，低声对王平讲了几句。王平会意，带领一支人马，冲进孟获的营寨。孟获匆忙迎战，但交战没有多久，王平猛然调转马头，向荒野奔去。

孟获见王平败逃，心情大好。他马上喝令手下，快速追赶。王平来到一个山谷，两边是陡峭的绝壁，脚下是狭窄崎岖的小路。没走多远，王平猛地转过身来，眼睛望着紧随而来的孟获，仿佛要同他在这里决战。

孟获不知是计，握紧战刀，催马前赶。还没接近王平，忽听后面喊杀声震天，转头一看，孟获才发现自己已被蜀军包围。孟获任凭自己如何勇猛无敌、力大无穷，终究敌不过蜀军大队人马的轮番进攻。渐渐地，他感到体力不支、气喘吁吁。又有一队蜀军从四面包围过来，孟获心里一惊，从马上跌落在地，被冲上来的蜀军捆了个结结实实。

孟获被押到诸葛亮面前，以为自己必死无疑。不料诸葛亮亲自给他松了绑，并好言劝他归顺。孟获大声说："这次是我不小心从马上跌下来，才被你们捉住，我心里不服！"

诸葛亮也不斥责他，带他到蜀军营地四处走走看看，然后问他："孟将军，你认为我蜀军人马怎样？"

孟获高傲地说："以前我不知道你们的阵势，所以

败了。今天看了你们的营地，我觉得也没有什么了不起！下次我一定能打败你们！"

诸葛亮坦然一笑，说："那好，你现在就回去，好好准备，我们再打一仗。"孟获回到部落，重新召集人马，积极筹备同蜀军的第二次交战。

结果，没出一天工夫，孟获再次被蜀军将士生擒了。诸葛亮对孟获好言劝慰一番，又将他放了。这样捉了放，放了捉，反反复复进行了七次。孟获第七次被捉时，终于被诸葛亮的诚意感动，不再反叛。

为了节省军事开支，避免官府和少数民族再发生冲突，诸葛亮决定不在这里设一官一府，也不留一兵一卒，仍然任用当地原来的首领为地方官吏。有人担心这些人会反叛，建议诸葛亮任用自己的人，否则这次平叛的辛

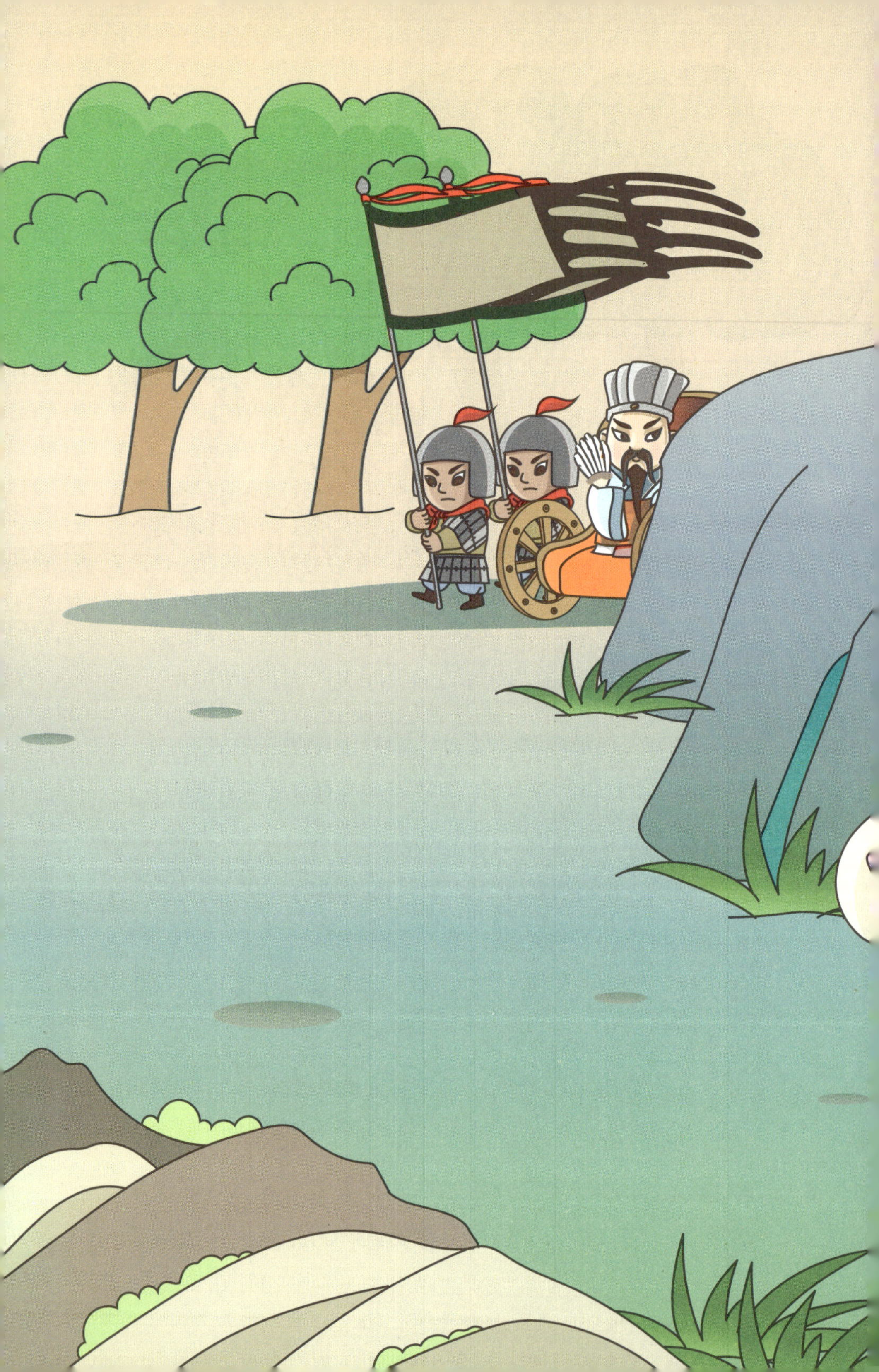

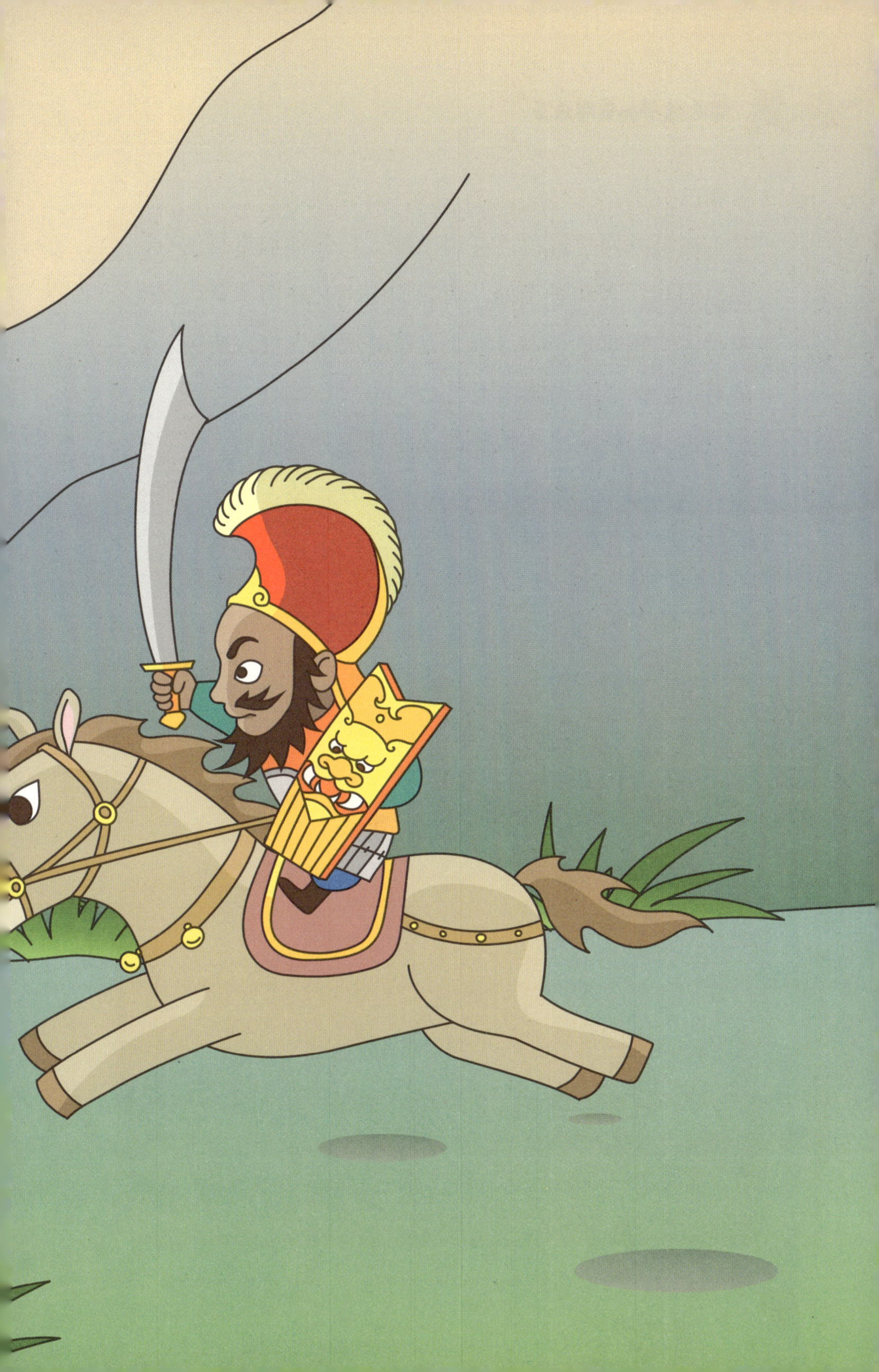

苦就白费了。

诸葛亮回答说："任用当地人，让他们贯彻法令，令他们和汉人和平相处，而我们则不必驻留军队，又免去了运输粮草之苦，这样不是很好吗？"众人听罢，对诸葛亮的深谋远虑佩服不已。

孟获等当地素有威望的人担任地方官吏后，果然和蜀汉关系融洽，经常进献金、银、丹、漆、耕牛、战马等供给军队和朝廷使用。

【知识拓展】

马谡：字幼常，襄阳宜城（今属湖北）人，兄弟五人，都有才华和名气，并称为"马氏五常"。马谡才气器量超人，好论军事谋略，诸葛亮对他深为器重。刘备临终之时对诸葛亮说："言过其实，不可大用。"建兴六年（228年），诸葛亮北伐时，他违背诸葛亮作战指令，导致街亭失守被处死。

邓艾奇兵灭蜀

诸葛亮去世后，蒋琬、费祎相继掌握蜀汉大权，大力实行休养生息政策。直到姜维成为大将军后，他继承诸葛亮北定中原的遗志，多次率兵北伐。但因为力量不足，几次北伐都没有取得进展，反而耗费巨大国力，使本就贫弱的蜀国更加羸弱不堪。

263年，司马昭派钟会分三路奔赴汉中，命征西将军邓艾牵制姜维，派雍州刺史诸葛绪截断姜维的退路，企图把姜维一举歼灭。

邓艾喜好谈论军事，每次遇到高山大川都会仔细观察，然后按照地形部署军队，当时人都讥笑他。他供职于行伍，因为出身贫寒而且有口吃毛病，在军中一直默默无闻，后来受司马懿的赏识，才脱颖而出。

邓艾派遣部将直攻姜维营垒，双方相持不下。而此时，钟会率领的十万大军已经进入汉中。姜维自知汉中难保，急忙摆脱邓艾的牵制，率兵退守阴平；在阴平又

遭遇魏将诸葛绪,只得退守剑阁。邓艾到达阴平后,挑选精锐部队,想要与诸葛绪一起直奔成都。但诸葛绪接受的命令是阻截姜维,进军成都并不在他的任务范围,所以拒绝与邓艾一起西进,而是率军与钟会会合。

剑阁地势雄险,素有"一夫当关,万夫莫开"之称。姜维排兵布阵,凭险设防,击退了钟会多次进攻。钟会屡次进攻没有奏效,运输粮草的道路既危险又遥远,决定退兵。邓艾上书说:"敌兵已经受到严重折损,此时应当

邓艾奇兵灭蜀

乘胜攻击。如今可以派遣一支精锐部队,从阴平出发,走小路绕到涪县。那里离蜀国的国都成都只相距三百余里,可以出奇兵攻击蜀国的腹心之地。如此一来,驻扎在剑阁的守军必定会回援涪县,我们的大军就可稳步通过剑阁;如果他们不回援涪县,涪县疲弱的兵力将不足以自保。"

邓艾趁姜维被钟会牵制在剑阁,率精兵从阴平出发,一连走了七百多里。来到马阁山,道路断绝,山高谷深,行军非常艰难。随军携带的粮食差不多快吃完了,将士们深感进退两难。邓艾在观察地形后,果断采取行动。他用毡毯裹住自己滚下山,将士们随后效仿邓艾,安全渡过险境。

邓艾首先到达江油,驻守此地的蜀军没有料到魏军突然出现,一时措手不及,纷纷投降。邓艾奇兵长驱直入,攻下绵竹。

邓艾先写信招降绵竹守将诸葛瞻,许之以琅琊王,但是遭到拒绝。邓艾当即派他的儿子邓忠率兵进攻诸葛瞻的右翼,派师纂率兵进攻诸葛瞻的左翼。城破,诸葛瞻与其子诸葛尚力战而死。

攻下绵竹后,邓艾直奔成都。后主刘禅召集大臣商量对策,有人建议逃往东吴,有人建议逃往南中。刘禅听从光禄大夫谯周的意见,派人带着玉玺向邓艾投降。

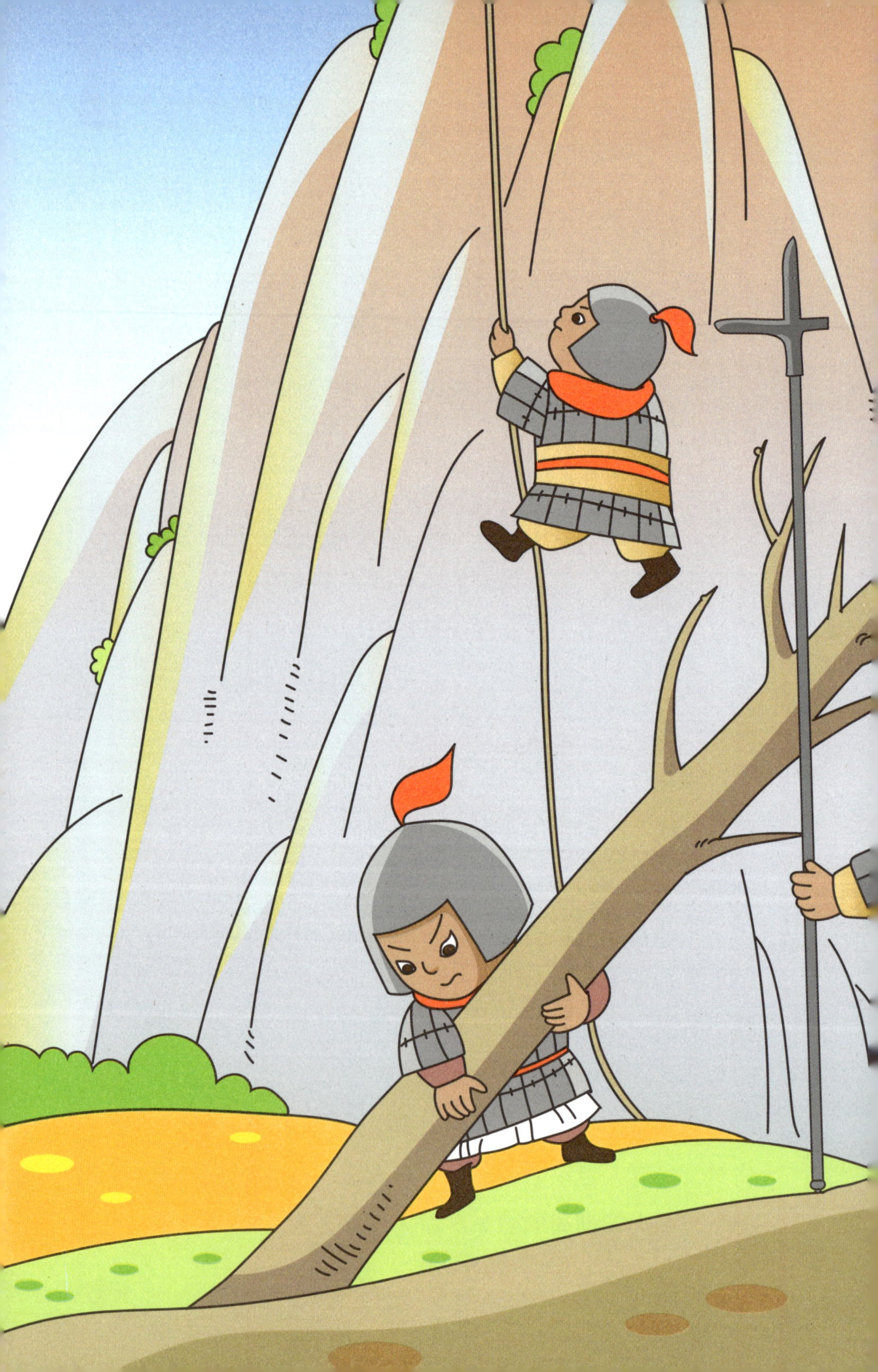

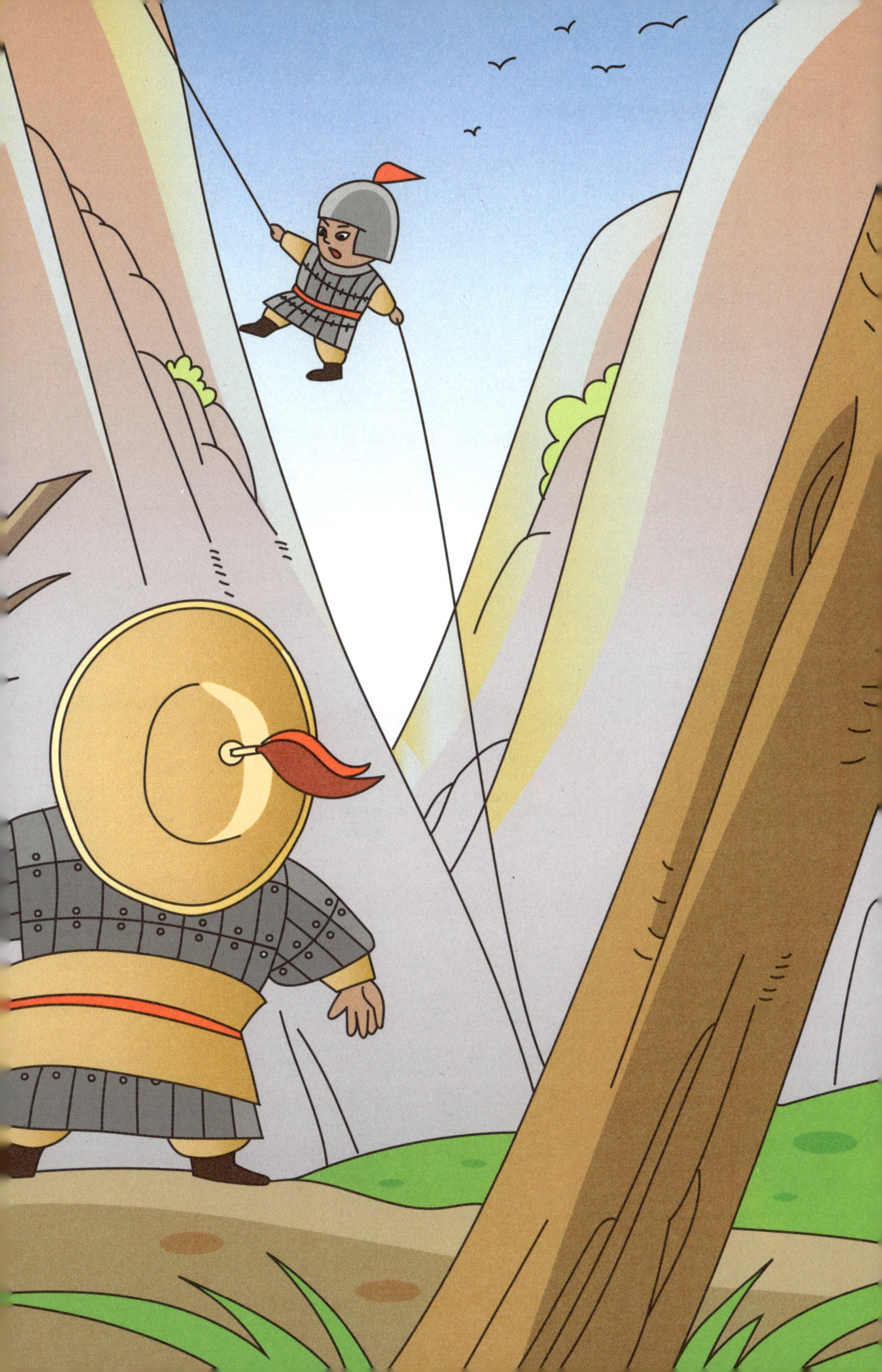

北地王刘谌愤怒地说："如果我们力量殆尽，败亡之祸不能避免，就应当父子君臣一起背城一战，以死报国。这样才能见先帝于地下，为什么要投降？"后主不听，刘谌在刘备庙中哭诉之后，自杀而死。

姜维率领的蜀军还在前方和钟会交战，忽然接到后主刘禅向魏军投降的命令，只得向钟会投降。蜀国就此灭亡。

【知识拓展】

乐不思蜀：蜀汉灭亡后，刘禅移居魏国都城洛阳，封为安乐公。一日，司马昭设宴招待刘禅，演奏蜀中乐曲，并以歌舞助兴时，蜀汉旧臣们想起亡国之痛，都掩面低头流泪。只有刘禅怡然自若。司马昭见状，便问刘禅："安乐公是否思念蜀？"刘禅答道："此间乐，不思蜀也。"

羊祜与堕泪碑

羊祜是西晋著名的战略家、军事家和政治家,出身士族。从他起上溯九世,羊氏各代皆有人出任二千石以上的官职。羊祜祖父羊续曾任南阳太守,父亲羊衜为曹魏时期的上党太守,母亲蔡氏是汉代名儒、左中郎将蔡邕的女儿,姐姐嫁给司马懿之子司马师。羊祜十二岁丧父,孝行哀思超过常礼,侍奉叔父羊耽也十分谦逊恭谨。

后来羊祜与王沈一起被曹爽征用,王沈劝羊祜应命就职,羊祜用"委质事人,复何容易"予以婉拒,王沈便独自应召。249年,司马懿发动高平陵之变,诛杀曹爽,夺得军政大权。政变后,司马懿大举剪除曹氏集团,与曹爽有关的很多人遭到株连。王沈因为是曹爽的故吏而被罢免,后悔当初没有听劝,遂对羊祜说:"真后悔当初没有听您的话啊!"羊祜安慰他说:"这种事情不是一开始就能预料的。"

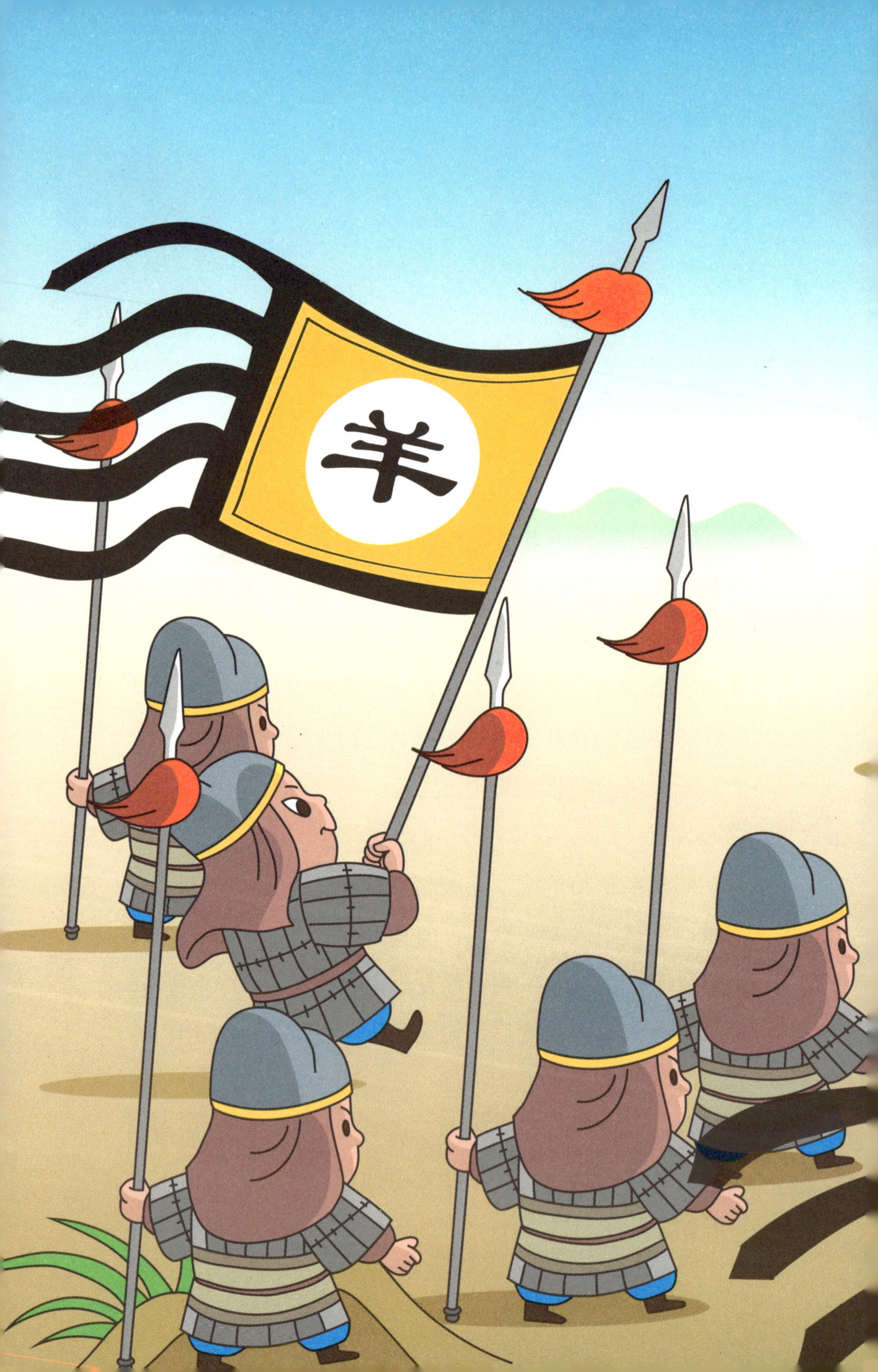
羊

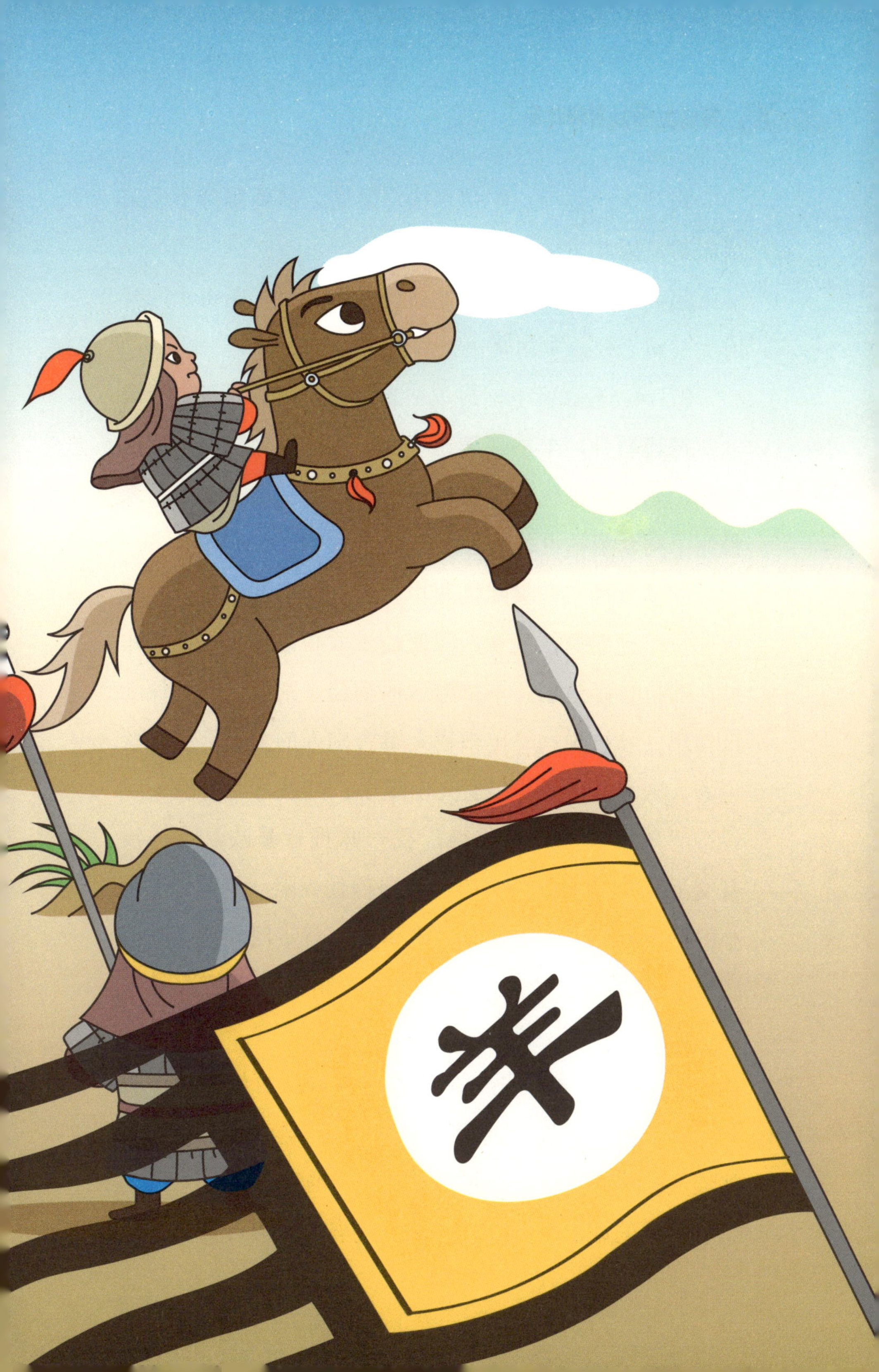

司马炎代魏后，羊祜有扶立之功，但他坚持不受公爵之封，因此司马炎封羊祜为侯爵。

因为经略荆州有功，他被晋武帝加封车骑将军，开府如三司之仪，羊祜坚决推辞。

277年，晋武帝下诏封羊祜为南城侯，羊祜再次推辞。

每逢晋升，羊祜都谦让不受，不管任何时候、任何地方，始终清廉俭朴、谦逊谨慎。被羊祜推举的官员来答谢羊祜，羊祜也总是避而不见。

羊祜曾经与东吴陆抗两军对峙，使者互通往来，陆抗称赞羊祜的德行气量，即使是乐毅和诸葛亮也不能超过。陆抗曾经生病，羊祜赠送他汤药。别人大多劝谏陆抗勿用，陆抗说："羊祜岂是毒害别人的人？"当时谈论的人认为是华元和子反又出现了。陆抗常常告诫士卒说："羊祜一味推行仁德，我一味推行暴政，这样没有交战我们已经输了，应该各自保住界限，不要去追求小的利益。"孙皓听说边境上讲和，就责问陆抗，陆抗回答说："一个乡里，不能够没有信义，更何况是大国呢？"

278年，羊祜病逝，举国皆哀。荆州百姓在集市听到羊祜的死讯，罢市痛哭，街巷悲声阵阵，连绵不断。就连吴国的守边将士听闻羊祜死讯，也为之落泪。

羊祜的谦逊仁德流芳后世。荆襄一带的百姓为了纪

羊祜与堕泪碑

念羊祜，特地在羊祜生前喜欢游憩的岘山上刻下石碑，建立庙宇，按时祭祀。由于人们一看见石碑就会忍不住伤心落泪，杜预（由羊祜推荐给晋武帝，后吞灭东吴）称之为"堕泪碑"。

【知识拓展】

华元、子反：华元为春秋时宋国大臣，子反为楚国大臣。楚宋交战之时，两人为使，均向对方如实说出本国情况，被后世奉为楷模。

西晋灭吴

蜀国灭亡，三国鼎立的局面打破。吴人见蜀国被灭，十分恐惧，都希望能有一位年长的君主施行开明的统治，众臣便推选了孙皓为吴王，改年号为元兴，大赦天下。

孙皓即位之初体恤百姓，开仓赈济灾民，又按例放宫女出宫婚配，受到臣民的称赞。但在地位巩固后，孙皓就变得粗暴骄横，沉湎于酒色之中，大兴土木修建宫殿。上行下效，整个吴国的风气就这样开始败坏。

265年，司马昭之子司马炎逼迫魏元帝曹奂禅让皇位，建立西晋，定都洛阳。不同于曹魏集团的刻薄奢侈，司马炎主张节俭，不仅大赦天下，还大力发展经济、文化，选贤任能，为其统一全国的大业做准备。

269年，晋武帝司马炎开始策划灭吴，他听从羊祜的意见，决定凭借上游地势进攻吴国，所以命人大量建造战船。后来，极力主张伐吴的羊祜病逝，再加上胡人

西晋灭吴

不断骚扰西晋边境，伐吴的计划只得搁置下来。直到279年，司马炎终于正式下令大举进攻吴国，史称晋灭吴之战，西晋的二十万大军，兵分六路扑向东吴。

吴王孙皓听说晋兵南下，急忙调兵遣将迎敌。无奈吴军长期疏于操练，军心涣散，上至将领、下至士兵都认为吴国灭亡是迟早的事情，所以屡战屡败，晋军则步步紧逼。为了阻止晋军顺流东下，吴军把江边浅滩处的要害区域，全部用铁锁封锁，另打造了众多长达一丈余的大铁锥，放入江中，用来阻挡晋军的战船。晋军将领王濬用烈火将铁索烧断，又派人造了几十个大木筏，木筏走在水军的战船前面，一遇到铁锥，铁锥就会扎进木筏中，被木筏顺水带走。这样一来，吴军的防御设施全无用处，王濬顺利攻克西陵。与此同时，乐乡、江陵等重地也落入另一路的晋军将领杜预手中。很快，晋军控制了整个长江上游地区，吴国的都城建业岌岌可危。

吴王孙皓见情势危急，急忙派丞相张悌率领吴军渡江迎击晋军。张悌叹气说："东吴要灭亡了，这是每个人都知道的事情。现在我们的军队士气低落，但还可以作战，要是等到敌军的几路大军会合，那就连勉强一战的机会也没有了。"于是下令军队渡江迎战。

渡江后，张悌的军队成功包围了一支七千人的晋军。晋军请求投降，张悌的手下认为敌军是诈降，建议将这支晋军全部斩杀，张悌没有同意。后来，晋吴两军在板

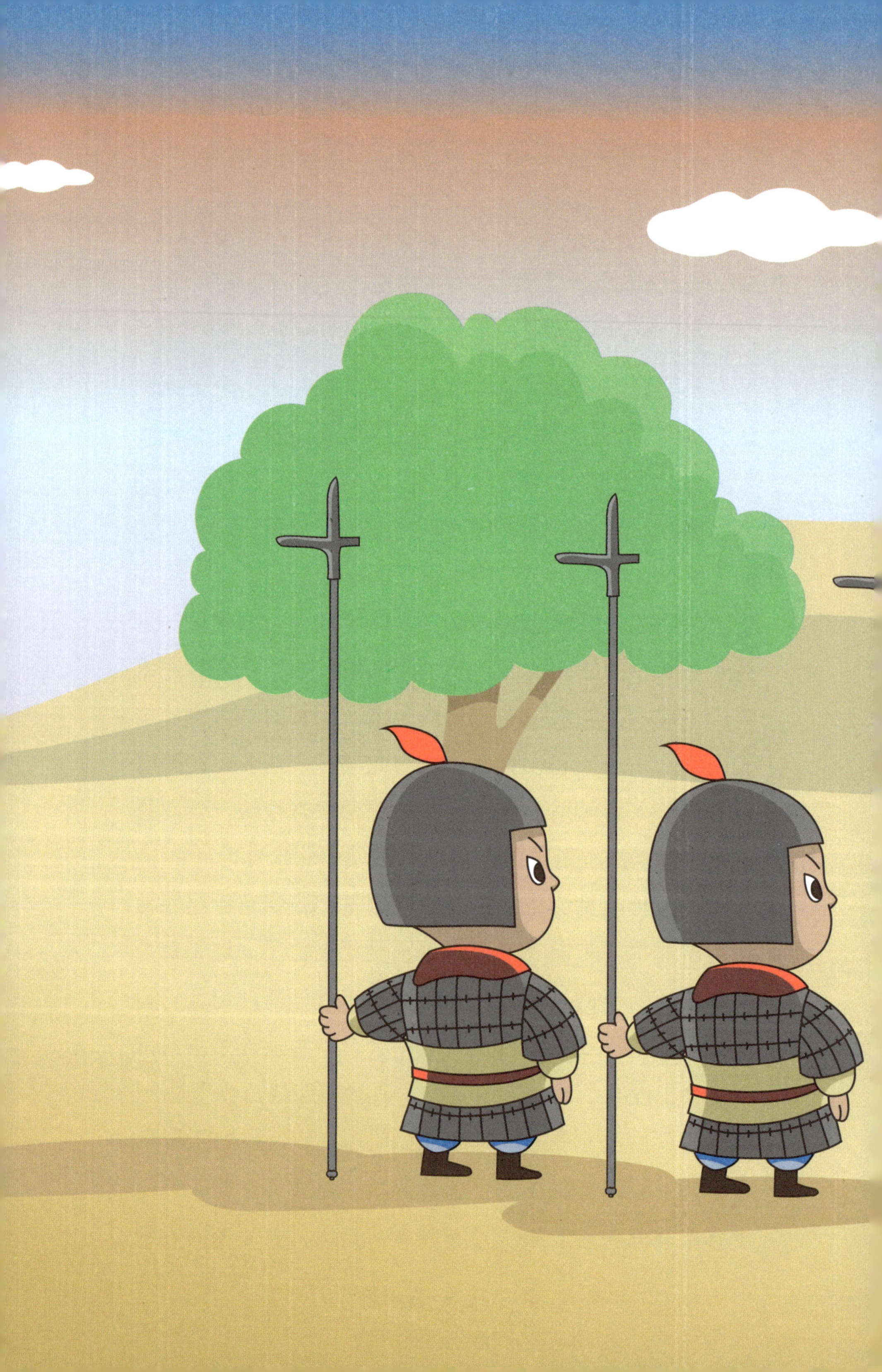

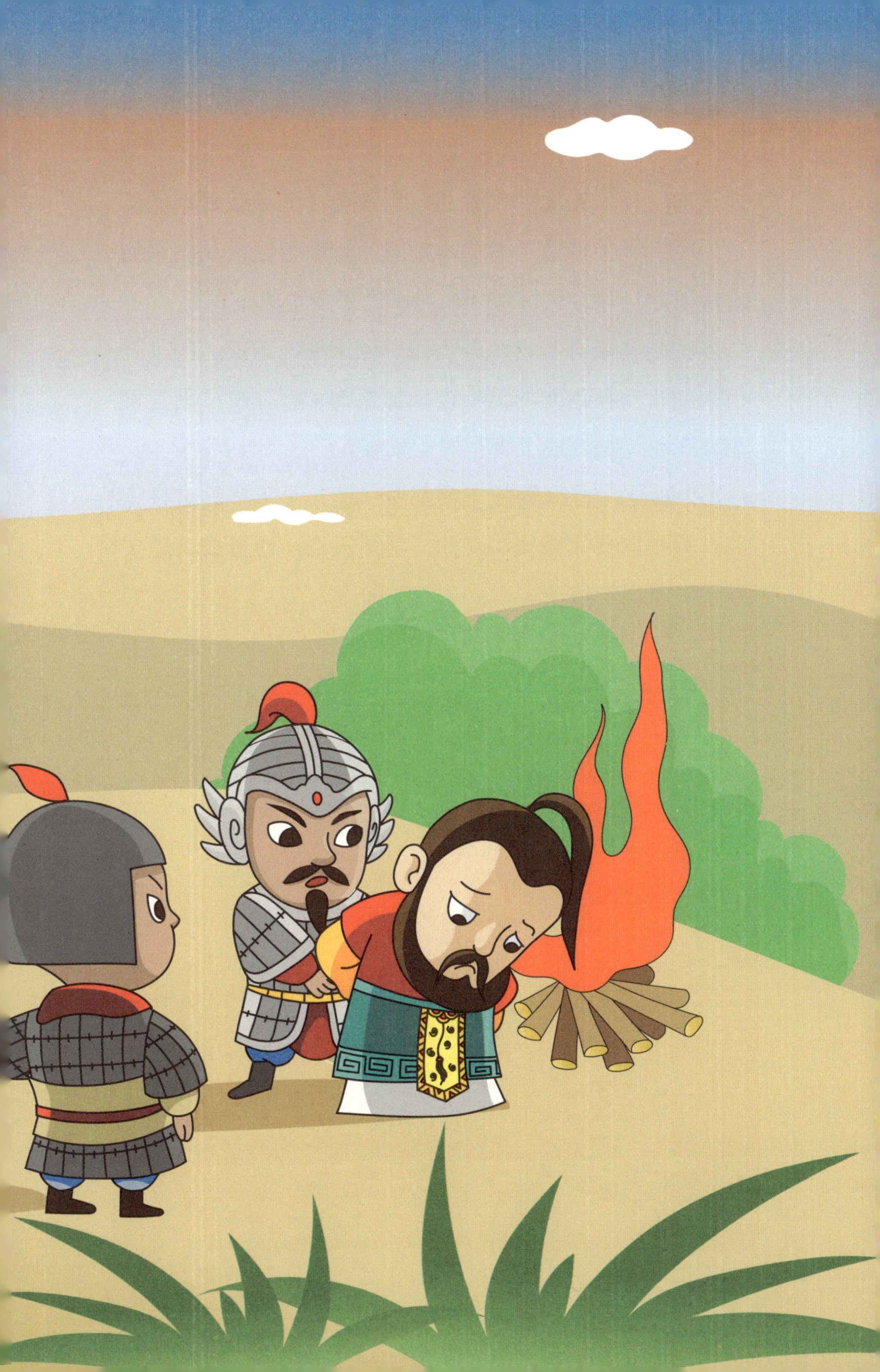

桥正面交锋，张悌的精锐部队三次都没能冲破晋军的防御，吴军开始溃散。而原本投降的晋军也趁机从吴军的背后发起进攻，张悌战死，吴军近乎全军覆没。

孙皓想要再凑出两万士兵拼死一战，结果这些临时找来的士兵在出发的前一夜全部逃跑了。孙皓已无兵可用，无将可派，成了真正的孤家寡人。

280年，晋军兵临东吴都城建业。吴王孙皓走投无路，只得向晋军投降。至此，吴国灭亡，西晋成功地实现了对全国的统一。

【知识拓展】

王濬（jùn）：字士治，弘农郡湖县（今河南灵宝）人，西晋名将。少时博通典籍，但不注重品行修养，后来才改变志节，立大志向。他修建宅第时，在门前开了一条数十步宽的路。有人问他，这么宽的路有何用。王濬说："我打算使路上能容纳长戟幡旗的仪仗。"遭到众人嘲笑。王濬说："陈胜说过，燕雀哪能知道鸿鹄之志？"

石崇斗富

晋武帝统治中后期,国家无事,朝野上下都以奢侈享乐为荣,竞夸豪奢,摆阔炫富,唯恐不及他人。其中最有名的,要算石崇了。

石崇的父亲是被称为"娇无双"的石苞,曾官至大司马。石崇是石苞六个儿子当中年龄最小的一个,也是最聪慧的一个。石苞临死之前,将财产全部分给儿子,唯独没有给最小的儿子石崇留下分文。石崇的母亲觉得这样的分配很不公平,石苞却说:"我们的这个儿子虽然小,但是极为聪敏,将来他自然会得到财富,无须我留给他。"

后来石崇为官,因为伐吴有功被封为列侯。在攻破东吴后,石崇率人进入东吴皇宫,搜刮到许多金银财宝。后来石崇升任荆州刺史,荆州繁华富庶,交通便利,经常有富商巨贾往来其间。刺史石崇作为一州最高长官,没有悉心打理政务,反而干起了打劫的勾当,打劫出入荆州的富商巨贾，一跃成为全国首富。

石崇积累了大量的财富后，在河阳的金谷开辟庄园供自己享乐，即著名的金谷园。金谷园依山傍水，依地势建造，面积方圆几十里，堆石为山，引水为湖，里面阁楼台榭、幽林深谷一应俱全。石崇还派人带着丝绸茶叶和铜铁器具等物，去南洋换回珍珠、玛瑙、象牙等贵重物品，用来装点宅第，使其宛如宫殿一般。然后他又四处搜罗美女，有的纳为姬妾，有的则充当婢女。这些美女都穿着精美无双的锦缎，身上装饰着璀璨夺目的珠宝。

石崇的宅邸不但房屋装饰得富丽堂皇，就连厕所也修建得奢华无比，甚至准备了各种香水和香膏供客人洗手洗脸，另外有十几个穿着艳丽的婢女恭敬地站在一旁，列队伺候客人上厕所。客人方便之后，这些婢女就会把客人身上的衣服脱掉，然后换上新衣才让他们出去。对于这种待遇，很多人消受不了。有一个叫刘寔（liáo）的官员，年轻时家境贫穷，无论是骑马还是徒步外出，每到一处都不劳烦主人，砍柴挑水都亲自动手，为官后，也仍然如此。一次，刘寔去石崇家拜访，上厕所时，看见里面的陈设极为讲究，而且还有十几个美貌的婢女在一旁伺候，忙退了出来，对石崇说："我误闯你的卧室了。"石崇说："那是厕所。"

石崇斗富

　　石崇每次设宴请客，都会让美貌的婢女在席间斟酒劝客。如果哪位婢女伺候的客人不肯喝酒，就会被石崇杀掉。一次，王导和王敦去石崇家赴宴。王导向来不胜酒力，但是不想看到石崇因此杀人，于是勉强喝下。王敦善饮酒，可偏偏不喝，结果给王敦斟酒的三个婢女全被石崇杀掉。

　　石崇如此豪奢，有人不服。晋武帝的亲舅舅王恺自恃皇亲国戚，想要和石崇一较高低。王恺为了炫富，在饭后用糖水洗锅，石崇自然不甘落后，用蜡烧饭；王恺做了四十里的紫丝布步障，石崇便做五十里的锦步障。尽管晋武帝在暗中对王恺多有帮助，但王恺仍总是落在下风。一次，晋武帝赐给王恺一棵近两尺高的珊瑚树，枝叶繁茂，堪称稀世珍宝。得到宝贝的王恺想要凭此扳回一局，他跑到石崇家向石崇展示了自己的宝贝。没想到石崇看后，不以为意，用手中的铁如意将珊瑚树击碎。石崇命下人把家里的珊瑚树全部拿出来，这些珊瑚树中，高达三四尺的有数棵，而像王恺那样的珊瑚树足有二三十棵。

　　石崇不但跟王恺斗富，甚至跟皇帝也较劲。据《耕桑偶记》记载：外国向晋武帝进贡火浣布，晋武帝制成衣衫，穿上后就去了石崇家。石崇故意穿着平常的衣服，却让家里的五十个下人身着火浣衫迎接晋武帝。

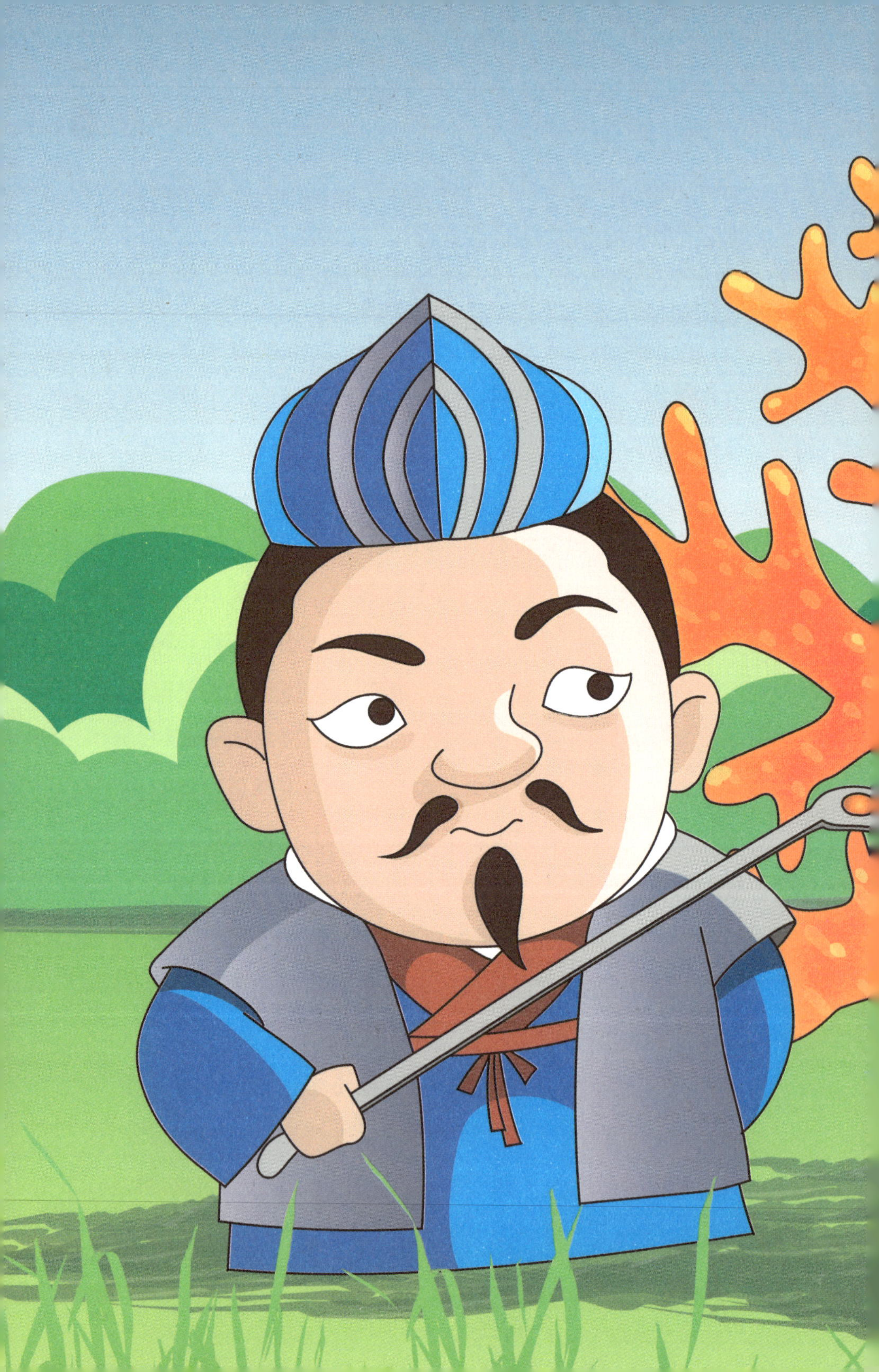

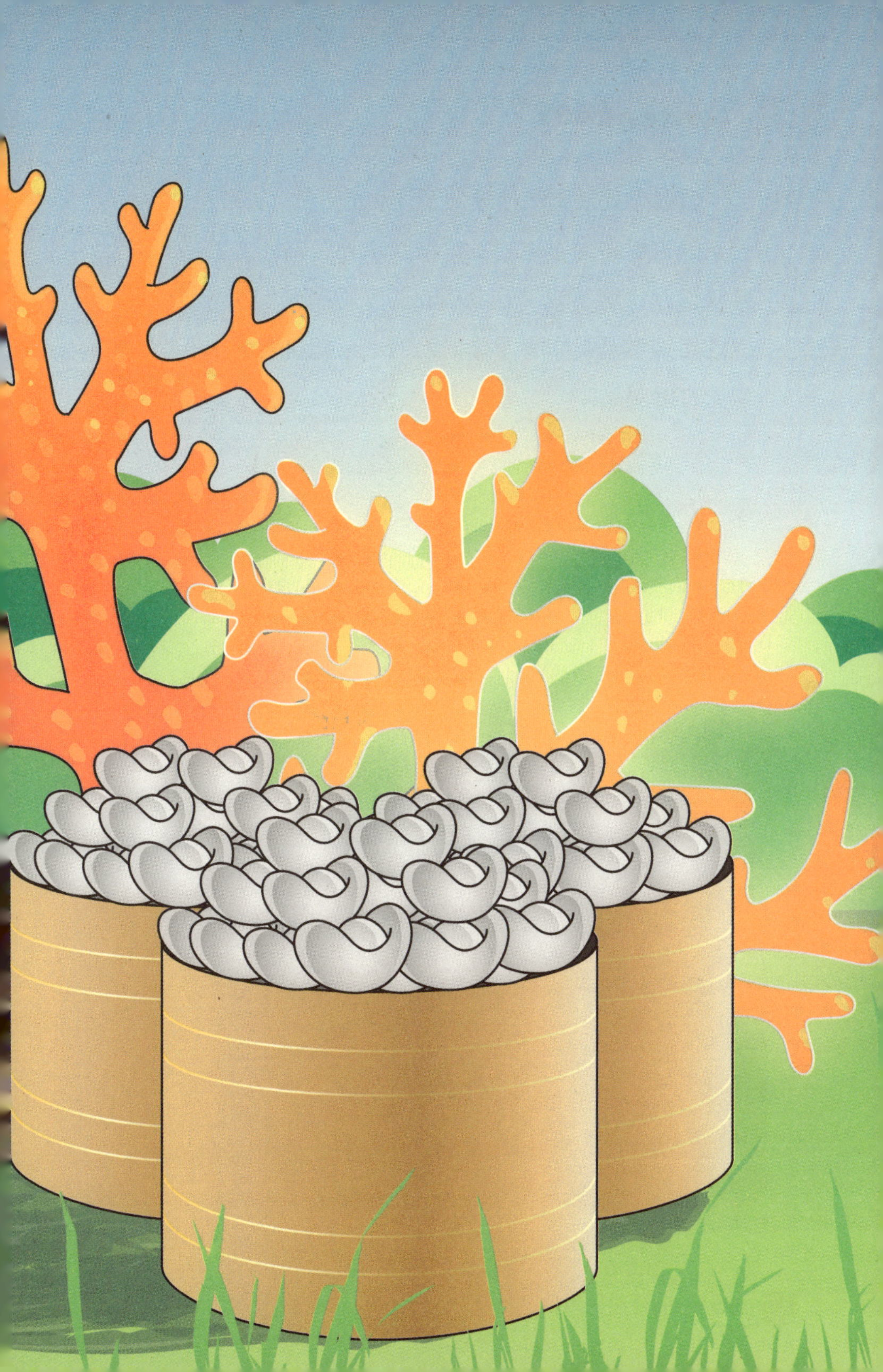

晋武帝死后不久便爆发了"八王之乱"。在乱战中，石崇因为财富太多被赵王伦派兵杀死。临死之前，石崇感叹说："这帮奴辈是贪图我的家财啊。"押送者说："既然知道是财富害了你，为何不早把财富散了？"石崇无言以对。

【知识拓展】

石苞：字仲容，三国时期魏国和西晋的重要将领。曹髦在位时，石苞因事入朝，与他相谈了一整天。出来后，石苞认为曹髦之位将不保。几日之后，曹髦冲击司马昭，被弑杀。

八王之乱

西晋建立后，晋武帝认为魏朝的灭亡，是没有给皇族子弟权力，使皇室孤立所致。所以，他封了二十七个同姓王，每个王国都有自己的军队，王国里的文武官员，都由诸侯王自己选用。

晋武帝死后，司马衷即位，是为晋惠帝。晋惠帝是个呆傻儿，只会玩耍。臣子把老百姓没有饭吃，到处饿死的情况向他汇报，希望他下令赈济灾民，结果他说了句令人哭笑不得的话："没有饭吃，为什么不去吃肉粥？"这样的人当然不会管理国家，于是军政大权落到杨太后的父亲杨骏手中。杨骏结党营私，排除异己。

贾皇后不甘心杨太后和太后娘家的人掌权，就联系宗室诸王，而诸王也是各怀鬼胎。楚王玮一到京城，即兵围杨骏太师府。杨骏措手不及，被乱兵杀死，依附杨家的官员，无一幸免。

此后，汝南王亮进洛阳辅政，想独揽大权，反被楚王玮所杀。

楚王玮本是贾后的同党，但贾后怕他权力太大，又宣布楚王玮假造皇帝诏书，擅自杀害汝南王，把楚王玮办了死罪。

贾后从此专权，她掌权的七八年里，骄横跋扈，胡作非为。太子不是贾后生的，贾后怕他长大后自己的地位不保，就千方百计想除掉太子。

有一回，贾后事先叫人起草了一封用太子口气写的信，内容是逼晋惠帝退位。贾后把太子请来喝酒，把他灌得烂醉，趁太子昏昏沉沉的时候骗他把那封信抄了一遍。第二天，贾后叫晋惠帝召集大臣，把太子写的信交给大家传看，宣布太子谋反，把太子废了。

朝廷大臣对贾后的凶狠本来就十分不满，见她废掉太子都十分气愤。掌握禁军的赵王伦觉得这是个好机会，准备起兵反对贾后，但又怕让太子掌权，也不好对付，就散布消息，说大臣正在秘密扶植太子复位。贾后听到这个谣传，派人毒死了太子。赵王伦抓住了贾后的把柄，与齐王冏密谋带兵进宫逮捕贾后。

贾后见齐王冏带兵进宫，大吃一惊，说："你们想干什么？"齐王冏说："奉诏来逮捕你。"贾后说："皇上的诏书都是我发的，哪里还有什么别的诏书！"最后，赵王伦将她斩杀。

八王之乱

赵王伦掌握政权,野心更大,软禁晋惠帝,自己称帝。他一即位,就把同党,不论文官武将,或是侍从、兵士,都封了官职。那时,官帽上都用貂的尾巴做装饰。由于赵王伦封的官实在太多,官库里的貂尾不够用,只好找狗尾巴来凑数。民间就编了歌谣来讽刺他们,叫作"貂不足,狗尾续"。

赵王伦篡位,激起了其他宗室诸王的反对,齐王冏首先起兵,并得到成都王颖、河间王颙的响应。三王联军与赵王伦军在洛阳附近战斗了两个多月。赵王伦兵败被杀,惠帝复位。

齐王冏入京辅政,为了专揽朝廷大权,撇开本来可以立为皇太弟的成都王颖和长沙王乂(yì),而立惠帝弟清河王之子,年仅八岁的司马覃为皇太子。成都王颖与齐王冏关系破裂,长沙王乂也大为不满。

302年12月,成都王颖联合西镇关中的河间王颙反对齐王冏。河间王颙出兵进攻洛阳,在洛阳的长沙王乂举兵响应。一时间,飞矢如雨,火光冲天,混战了三天三夜,齐王冏战败被杀,长沙王乂掌权。

303年8月,河间王颙派大将张方率领精兵七万联合成都王颖的二十多万大军,借口长沙王乂"论功不平"进攻京城。由于双方兵力悬殊,洛阳城危在旦夕。这时城内的集团出现分裂,304年正月,东海王越勾结部分

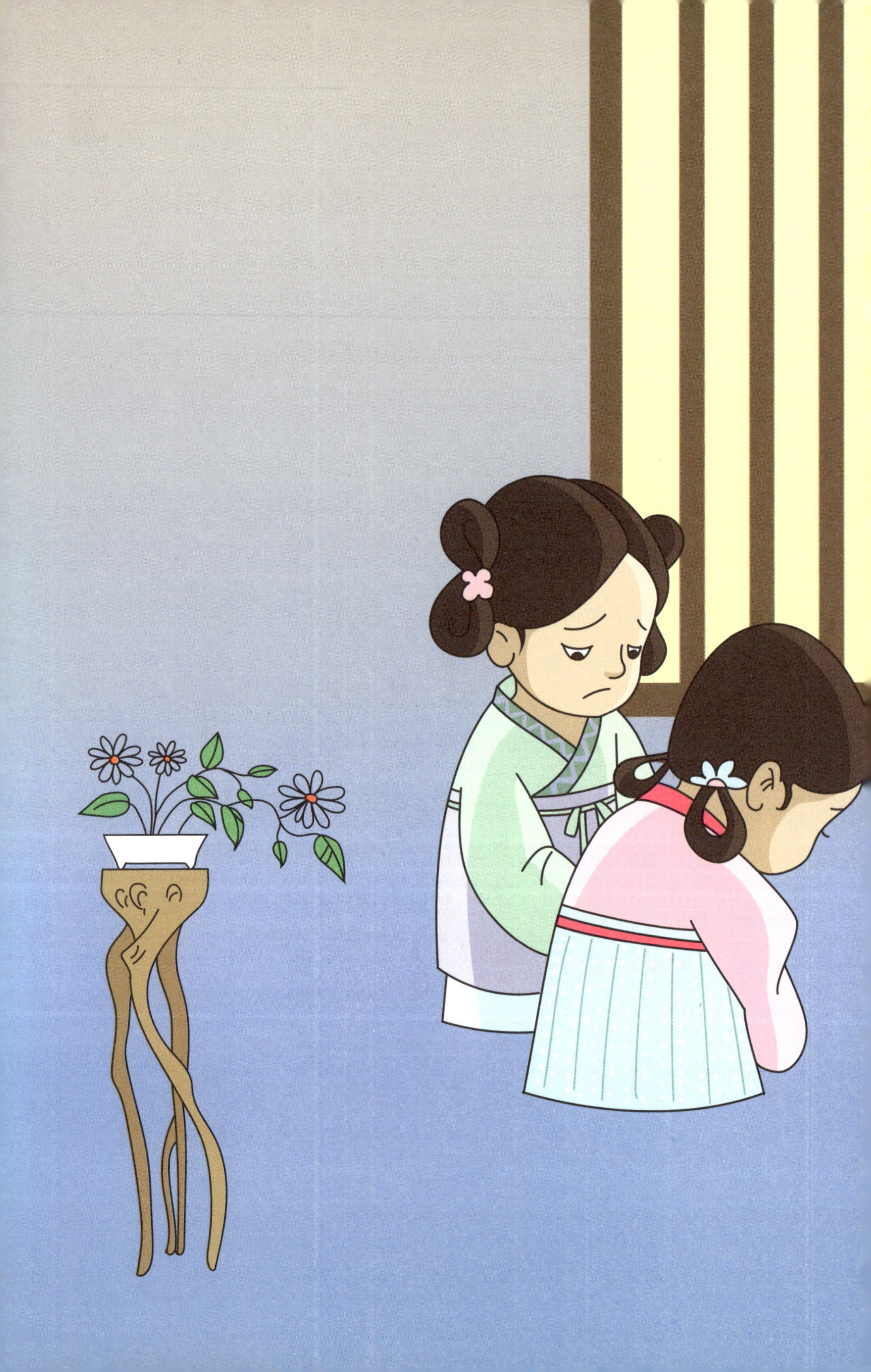

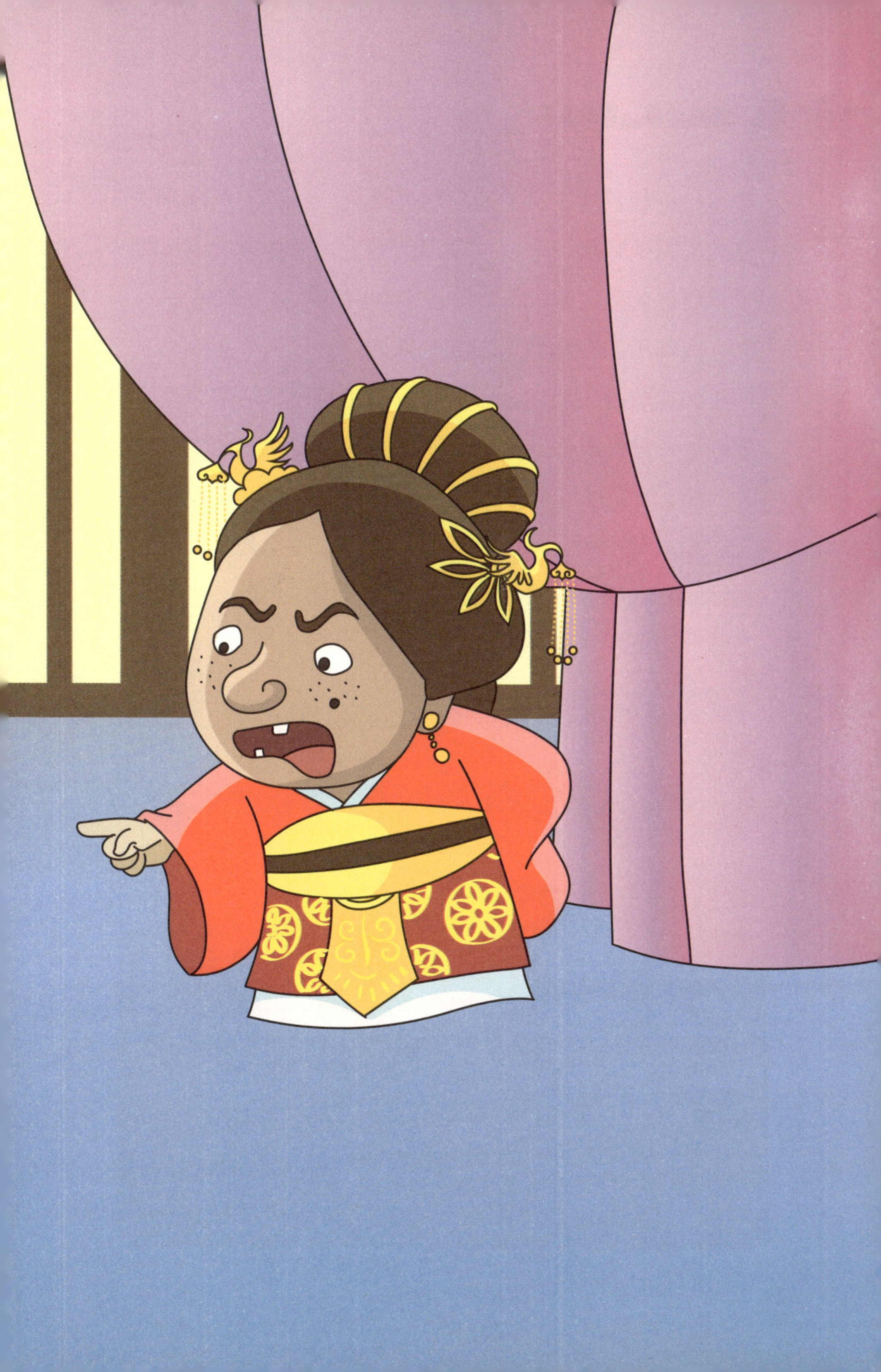

禁军，拘禁长沙王乂，随后将其杀死。成都王颖回到自己的根据地邺城（今河北临漳西南），遥控朝政，废太子覃而自兼皇太弟，一时政治中心由洛阳移到邺城。

成都王颖在邺城遥控朝政期间，比以前齐王冏、长沙王乂执政时还要坏。因此，东海王越统率洛阳禁军，拥戴惠帝讨伐成都王颖，结果战败，逃往自己的封国。

305年7月，东海王越在山东再次起兵，击败河间王颙和成都王颖，毒死惠帝，另立豫章王炽为帝，是为晋怀帝。晋朝大权最终落入司马越手中，至此，"八王之乱"结束。

【知识拓展】

"八王之乱"是中国历史上最为严重的皇族内乱之一，西晋皇族中参与这场动乱的王不止八个，但八王为主要参与者，故史称"八王之乱"。这次动乱导致西晋亡国以及近三百年的动乱。

奴隶皇帝石勒

石勒是中国古代五胡十六国时期后赵的建立者，也是中国历史上唯一一位从奴隶一跃成为帝王的人。石勒本是上党武乡县羯（jié）人，他不但精于骑射，而且沉着有胆略。

西晋在经历"八王之乱"后一蹶不振，百姓生活困苦，身处水深火热之中。为了补充军粮，有人向并州刺史司马腾建议，将境内各族胡人全部抓来卖掉，以换取粮食。司马腾听从建议，将境内各族胡人尽数抓起来，石勒不幸成为其中一个，被卖给一个叫师欢的人为奴。师欢见他长相非凡，料定他日后必成大器，于是将他放了。石勒投奔了一个叫汲桑的牧场主。后来公师藩自立为将军，起兵反晋，石勒随汲桑投奔军中。

不久之后，公师藩战死，汲桑便自称大将军，以石勒为前锋，打着为成都王司马颖报仇的旗号讨伐司马腾。但这支部队实力尚弱，辗转各地，汲桑也在一次战斗中

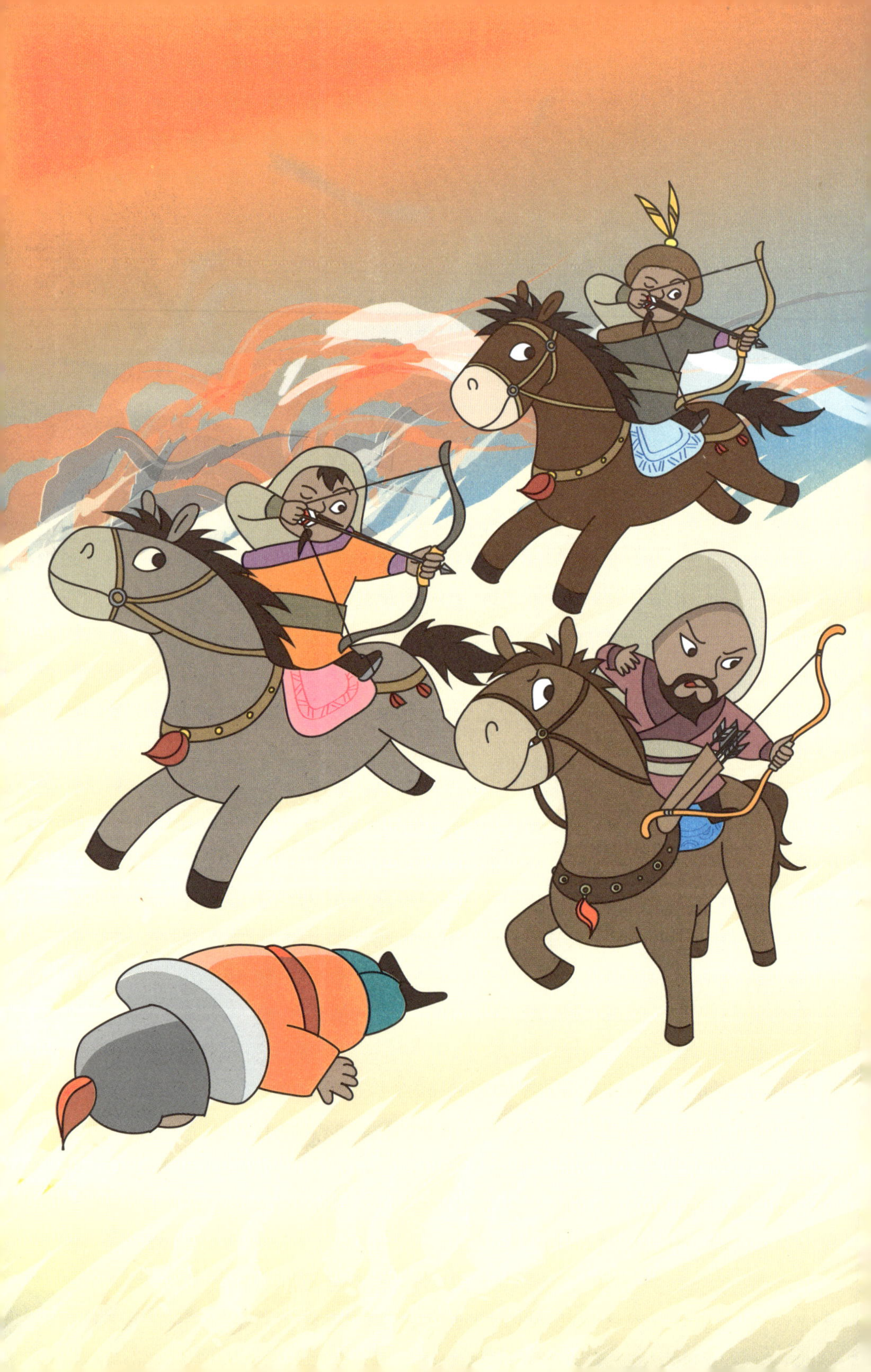

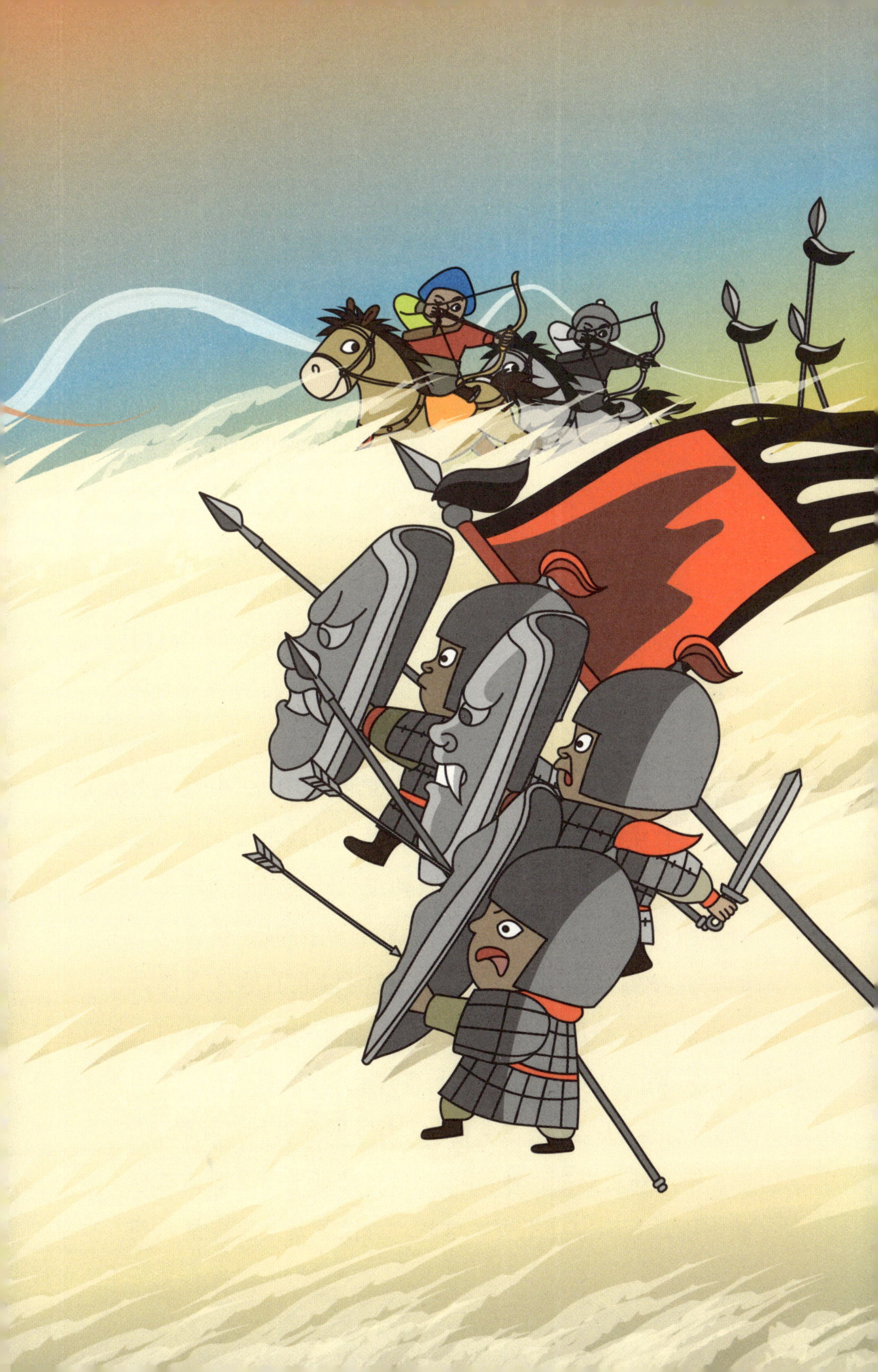

丧生，于是石勒又投奔到胡人首领张督的帐下，深得其信赖，并顺利说服张督归顺匈奴首领刘渊。

归附刘渊的第二年，石勒被派去攻打西晋，立下赫赫战功，势力迅速扩大。刘渊去世后，他的第四子刘聪即位称帝。

311年，石勒率领三万精骑与刘聪派遣的刘曜（yào）和王弥会师，合力攻陷西晋都城洛阳，俘获晋怀帝。在追击西晋残兵之时，石勒设计除去王弥，将他的部下全部收编，然后上奏刘聪，称王弥反叛，自己只得先斩后奏。刘聪大为恼怒，但石勒羽翼已丰，对他奈何不得，只得忍怒，册封他为镇东大将军。自此之后，石勒名义上是刘聪的臣子，实际上已经自立门户。

在一次战斗中，石勒的军队遭遇大雨，军中粮草不继，而且疾病肆虐，士兵死亡过半，以致军心大乱。这时，石勒的首席谋士张宾向石勒进言，建议石勒停止向南扩张。北方邺城城防坚固，而且四面都有要塞，不如据此作为根据地，大力经营黄河以北的地区，待黄河以北地区稳定后，天下就再也没有和将军匹敌的人了。石勒听从此建议，北上渡过黄河选择幽州、并州为据点招兵买马、积草屯粮，大力发展经济和文化教育。318年，刘聪病死，临死前，召石勒到平阳受遗诏做辅政大臣，石勒推辞不去。这时，刘汉朝廷发生内乱，刘聪的儿子刘粲被大臣靳准所杀。靳准自立为王，遭到刘氏集团刘曜的攻击。石勒认为这是一个好机会，于是出兵讨伐靳准，但在这个过程中和刘曜发生了冲突，石勒放言："刘家能称帝，我石勒也能！"于是称王，也就是后世所说的后赵王。石勒实行了一系列改革，上至宗法制度，下至百姓田租，为后赵的发展奠定了良好的基础。

当时，中原整体还处于动荡之中，各方势力频频用兵，刚刚建立起的后赵也是战争不断。石勒称王的第三年就遭遇以收服河山为毕生志向的晋朝大将祖逖（tì），后赵势力被渐渐削弱。石勒想尽办法和祖逖修好，不仅派人去幽州为祖逖修缮祖坟，还将背叛祖逖的降将斩杀。后赵的边境因此得以安宁。祖逖死后，石勒很快攻占了河南大片土地，并向东打击鲜卑势力，扩展领地。

另一边，刘曜也不断发展势力，两股力量不可避免地产生了矛盾，刘曜大败石勒的侄子石虎，围困后赵的军事重镇洛阳。石勒力排众议，决定亲征。

刘曜占据洛阳后，终日宴饮寻欢，直到听说石勒亲率大军前来讨伐，才仓促应战，兵败被擒。第二年，石虎又俘虏了刘曜的太子刘熙，至此，前赵的刘氏集团势力基本被消灭。

333年，石勒病重卧床，石虎伪造诏命，隔绝群臣亲戚，不许任何人进宫探望，石勒病情的好坏，宫外无人得知。石勒自知已时日无多，颁布遗诏，命太子石弘和石虎相互扶持，便去世了，石弘继位。第二年，势力雄劲且暗中筹划篡位的石虎成功夺取了王位。

【知识拓展】

羯：古代少数民族，源于小月支，曾附属匈奴。魏晋时期散居在上党郡，与汉人杂处，从事农业生产，又被称为"羯胡"。

鲜卑：我国古代北方的一支游牧民族。

石虎：石勒的侄子，生性残暴，因为武艺高超且勇猛过人，所以深得石勒的宠信。

祖逖北伐

311年,刘聪大军攻陷西晋都城洛阳,俘虏了晋怀帝,中原大乱,西晋的皇室和世族纷纷迁往江南,政治中心也向南方转移。西晋军队在长安拥立愍帝,以延续西晋政权。晋愍帝登基之后,有收复国土的志向,派当时的左丞相司马睿率兵二十万准备北伐。

祖逖年轻时就有鸿鹄之志,曾和西晋名将刘琨一同担任司州主簿,二人关系很好,常常同榻而眠。祖逖每每夜半时听到鸡鸣,便叫刘琨起床一起拔剑练武,为投身报国做准备。他一心想要为国收复失地,听到愍帝准备北伐的消息就投到司马睿帐下。

但司马睿只想偏安一隅,根本就没有北伐的志向,只是任命祖逖为奋威将军、豫州刺史,拨了一千人的口粮以及三千匹布给他,没有提供任何铠甲兵器,也没有一兵一卒。祖逖愤然带着自己麾下的一百多子弟渡江北上,望着茫茫的江水立下誓言:"我祖逖如果不能收复失地，重整河山，就让我像这大江一样有去无回！"祖逖在淮阴驻扎，招募兵士，为北伐做准备。

但北伐的形势相当严峻，不仅有后赵王石勒盘踞，还有大大小小的众多地方武装割据势力，祖逖在芦洲屯兵时便遭到占据太丘的张平和占据谯城的樊雅的阻截，不得不派兵强攻。后来，祖逖见久攻不下，便用离间计诱使张平的部下谢浮杀了张平，这才得到了太丘。但谯城仍在樊雅的掌控之中，祖逖便向南中郎将王含请求援兵，王含欣然同意。樊雅见形势对自己不妙，便很识时务地投降了祖逖。至此，祖逖终于在豫州巩固了自己的势力，迈出了北伐的重要一步。

其实，在祖逖攻打樊雅时，陈川的地方割据势力头目也曾派兵助战，那个领兵的将领叫李头，英勇善战，很受祖逖赏识，他也常常感叹："要是祖逖能做我的主公，我就死无遗憾了。"陈川知道后大怒，派人杀了李头，李头的部下率众投降了祖逖。陈川怒不可遏，为报复祖逖而大肆抢掠豫州各郡。祖逖派兵将他打败，陈川走投无路便投降了后赵王石勒，受其庇护。在祖逖攻打陈川时，石勒派麾下大将石虎率五万大军支援陈川，两军交战，祖逖战败，只得退守淮南。石虎将陈川的旧部迁走，留下了自己的部下桃豹驻守陈川老城。

当时，祖逖的部将韩潜和后赵的将军桃豹分别占据

祖逖北伐

陈川老城，桃豹占西边，韩潜占东边，双方就这样相持了四十多天。祖逖决定用计占领整个老城，便命人将布袋装满土，看起来就像装满了米粮的样子，然后派一千多人将土袋运到台上，又让一些人担着真米，在路边休息。桃豹的士兵追来，祖逖的部下故意丢下担子逃走。桃豹的士兵得了米粮，又见台上堆着好些米袋，以为祖逖的部众粮草充沛，想到自己已经饿了好几天，心中恐惧，一时间军心大乱。祖逖又派部下抢了桃豹的军粮，桃豹只得连夜遁逃，祖逖乘胜追击，终于占领了陈川的老城，并命部下冯铁守城，自己则驻守雍丘，时常派兵截击后赵军队。后赵戍边的兵士有不少因此归降了祖逖，后赵的国土也日渐缩小。

祖逖为人严于律己，宽以待人，又能与将士们同甘共苦，同时也不断鼓励农业生产，安抚投奔自己的流民，所以很得民心。就连不少地方割据势力也与祖逖交好，一旦后赵有什么举动，便会秘密告诉祖逖。再加上祖逖日夜练兵，于是总能在战场上获胜，以致威名远播。

后赵王石勒深知祖逖的厉害，见他勤于练兵、积草屯粮，心中担忧。为了和祖逖搞好关系，石勒遣专人到幽州替祖逖整修了祖坟，还杀了背叛祖逖投降自己的童建，并把首级送给祖逖，附信道："叛臣逃吏，是我最为厌恶的。将军憎恶的人，就是我憎恶的人。"此后，

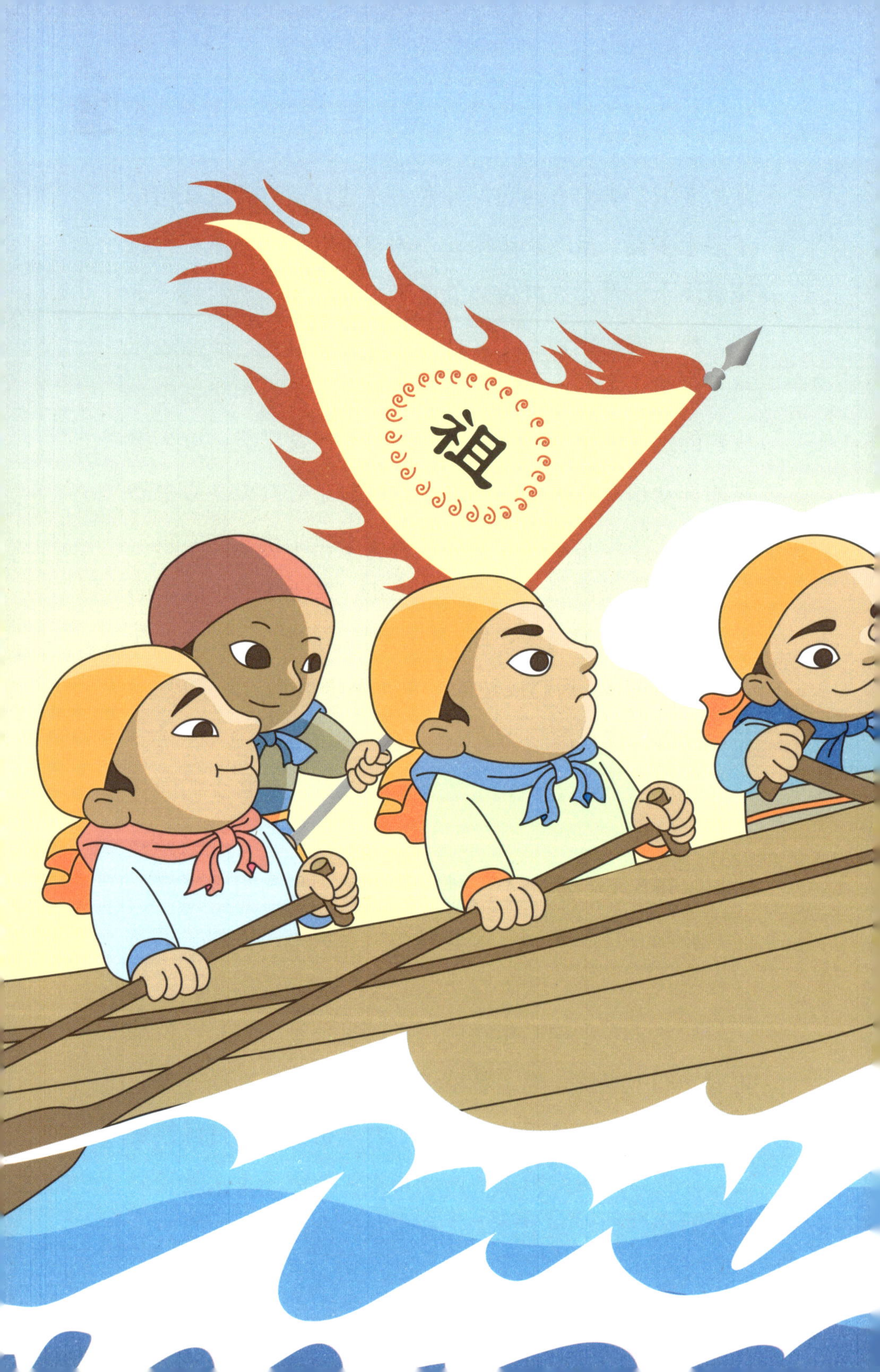
祖

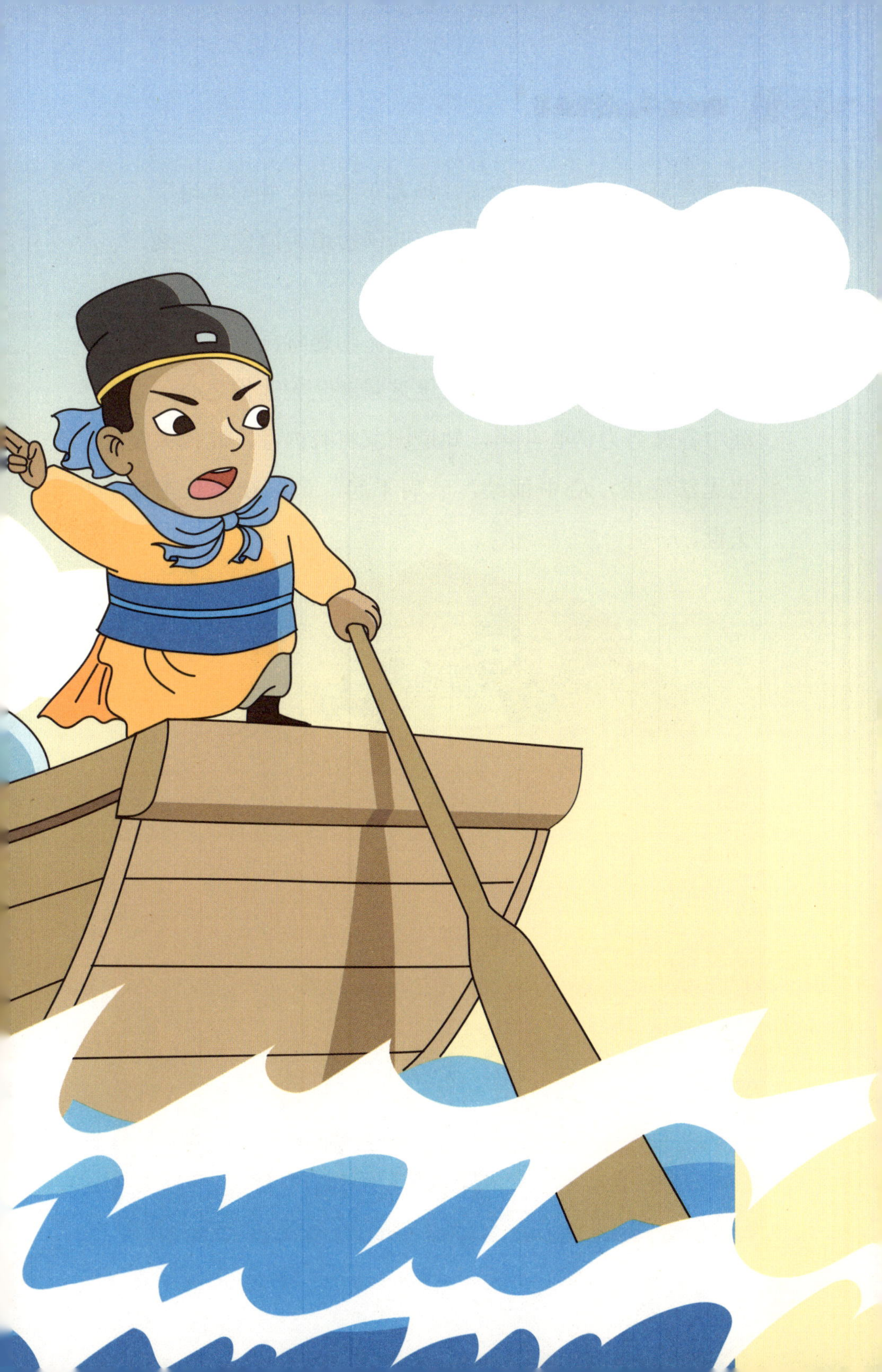

只要是后赵叛降归附的人，他都不接纳，并约束将士，禁止骚扰后赵百姓。就这样，两国边境短暂安定下来，得以休养生息。

但好景不长，豫州收复不久，朝廷就派戴渊来做征西将军，位在祖逖之上。祖逖见戴渊全无北伐之心，而朝中各派势力钩心斗角，知道国家将有内乱，北伐大业也无法完成，心中郁结，一病不起，最终在雍丘抱憾去世。

【知识拓展】

刘琨：字越石，中山魏昌（今河北无极）人，东晋时期金谷"二十四友"重要成员。大司马桓温，自认为雄姿英发，自比刘琨，却被人比作大将军王敦。桓温北伐归来，带回来一个老婢女，曾是刘琨的家伎。老婢一见桓温，便潸然泪下道："公甚似刘司空（刘琨）。"桓温大喜，问哪里像？老婢答道："面甚似，恨薄；眼甚似，恨小；须甚似，恨赤；形甚似，恨短；声甚似，恨雌。"桓温大为扫兴。

救时宰相王导

晋愍帝在被俘前留下诏书，要镇守在建康（今江苏南京）的琅琊王司马睿继承皇位。司马睿在西晋皇族中，地位和名望并不高。晋怀帝时期，他被派去镇守江南。他带去了一批北方的士族官员，其中最有名望的就是王导。司马睿刚到建康的时候，江南的一些大士族嫌他出身不高，不怎么看得起他，也不来拜见。为此，司马睿心里不踏实，要王导想个办法。王导的堂兄王敦当时在扬州做刺史，颇有势力。于是王导把王敦请到建康，两人商量出一个主意来。

这年三月初三，按照当地的风俗，百姓和官员都要到江边去"求福消灾"。王导让司马睿到江边去，前面有仪仗队鸣锣开道，王导、王敦和从北方来的官员、名士，一个个骑着高头大马跟在后面，排成一支十分威武的队伍。当天，在建康江边看热闹的人很多，大家看到这种从来没见过的大排场，都轰动了。江南有名的士

族一看王导、王敦这些有声望的人对司马睿这样尊敬，大吃一惊，生怕自己怠慢了司马睿，一个接一个地出来排在路旁拜见司马睿。这样一来，司马睿在江南士族中的威望提高了。王导接着劝司马睿说："顾荣、贺循是这一带的名士。只要把这两人拉过来，就不怕别人不跟

救时宰相王导

着我们走。"司马睿亲切地召见了顾荣、贺循,封他们做官。此后,江南大族纷纷拥护司马睿,司马睿由此在建康站稳了脚跟。

北方发生大乱后,北方的士族纷纷逃到江南避难。司马睿听从王导的安排,拉拢江南的士族,又吸收了北方的人才,进一步巩固了地位。

317年,司马睿在建康即位,重建晋朝,是为晋元帝。为了和司马炎建立的晋朝(西晋)相区别,历史上把这个朝代称为东晋。

司马睿从东渡到登基,主要依赖北方大族王导、王敦兄弟的大力支持。在此期间,王导位高权重,联合南北士族,运筹帷幄,纵横捭阖;王敦则总掌兵权,专任征伐,后来又坐镇荆州,控制建康。登基大典当天,皇帝司马睿突然拉住大臣王导同升御床,一同接受群臣的朝贺,表示愿与王氏共享天下。王导连忙推辞说:"太阳岂能与万物同辉,君臣名分是有区别的。"

王敦恃权而傲，晋元帝想要削减他的势力，暗中命心腹做好军事部署，名义上是北伐，其实是对付王敦。王导因此被疏远，但是他始终能保持常态，不做计较。王敦趁机以替王导诉冤为借口，322年自武昌举兵，攻入建康，史称"王敦之乱"。王导认为佞臣扰乱朝纲，同意王敦率兵前来"清君侧"，但是王敦想篡夺政权，王导出面维护帝室。王敦没能实现他的野心，只好退回武昌。

323年，晋元帝病死，晋明帝继位，王导辅政。王敦以为有机可乘，又加紧图谋篡夺。这时，王敦身染重病，不能亲自带兵，就将兵权交给了自己的兄长王含。王导表示"宁为忠臣而死，不为无赖而生"，部署兵力抵抗叛军。

王导听说王敦病重，就率子弟为王敦发丧，将士们以为王敦真的死了，士气大振。于是王导派遣将领趁夜渡江发起偷袭，王含措手不及。王敦知道王含溃败之后，大怒不已，不久病情加重而死。

325年，晋明帝病死，幼主晋成帝继位，王导与外戚庾亮同为辅政大臣。庾亮不顾王导的劝阻，执意征召苏峻入京。苏峻入京后，专擅朝政。王导联手陶侃和温峤除掉苏峻，再一次稳定了局面。

历经三朝，王导的威望十分高，王导每次上朝，晋

成帝都要起立相迎。王氏子弟遍布朝中，当时有"王与马，共天下"之称。

【知识拓展】

王敦叛乱时，王导怕受牵连，每日都率宗族二十余人跪在宫阙外请罪。这次正好遇到好友周顗入宫，王导哀求说："伯仁（周顗字），我一家百口就托付给你了。"周顗毫不理睬，入宫后，却对晋明帝叙说王导的忠诚，明帝听从他的意见。周顗出宫，王导还跪在宫门前，周顗不理王导就离开了。王导以为周顗不救他，非常怨恨。

其后王敦入建康，问王导，是给周顗高官还是杀掉，王导默而不语。于是王敦杀了周顗。后来王导看到周顗救他的奏章，悲不自胜，说："我不杀伯仁，伯仁却因我而死。"

风流宰相谢安

东晋年间，统治阶层主要是由西晋时期迁移到江南避难的中原世家大族组成。谢安便是出身于名门世家，从小受到家庭的熏陶，在德行、学养、风度等方面都有很深的造诣。

谢安寄情于山水和各类典籍之中自得其乐，喜欢与王羲之等名士出游。虽然他身为一介布衣，但当时很多人都认为他有做宰相的才能，并对他寄予厚望，士大夫们常常在一起议论说："谢安不为官，叫百姓怎么办才好啊！"谢安的妻子见丈夫不思进取，便时常责怪他，谢安则摇头说道："我最为担心的是，到最后我还是难免要做官。"

果然不出谢安所料，谢安的弟弟谢万因为在战争中指挥不当而被罢了官，谢安为家族利益不得不答应入仕为官。当时掌握朝政的征西大将军桓温十分高兴，向朝廷请求让谢安做司马。谢安就任，这时他已经四十多岁了。

风流宰相谢安

东晋简文帝死后，孝武帝司马曜即位，桓温策动谋反，并意欲软禁当时已经是尚书的谢安和王坦之。王坦之非常害怕，谢安却不变神色，坦然地对桓温说："我听说有道的诸侯在四方设置守卫，可明公又何必在幕后埋伏士卒呢？"桓温被问得很尴尬，只得下令撤除埋伏，之后一直找不到下手的机会，只能放弃。

后来，桓温病重，却仍幻想死前能够得到加九锡的殊荣，于是不断派人催促孝武帝下诏书。谢安和王坦之故意拖延时间，不断对已经起草好的诏书进行修改，迟迟不予颁布，桓温最终抱憾病死。

孝武帝即位后很倚重谢安，任命他为宰相，总揽东晋的朝政。为稳定局势，谢安没有趁桓温病死的机会打击桓氏集团，而是继续重用桓温的弟弟桓冲，桓冲也一心为国效命。当时，前秦在苻坚的治理下渐渐强盛起来，东晋的北方边境受到严重威胁，东晋的军队与前秦交战多次却屡遭败绩。谢安毅然举荐侄儿谢玄前往戍边，对抗前秦。谢玄不负所托，在378年前秦第一次大举攻晋之时四战四胜，全歼前秦军。

383年，桓冲率领十万大军讨伐前秦，苻坚一方面派人迎战，一方面亲自率领六十多万大军，再次大举入侵东晋。谢安临危受命，任命谢石为前线大都督，谢玄为先锋，连同桓伊、自己的儿子谢琰等青年将领，率领

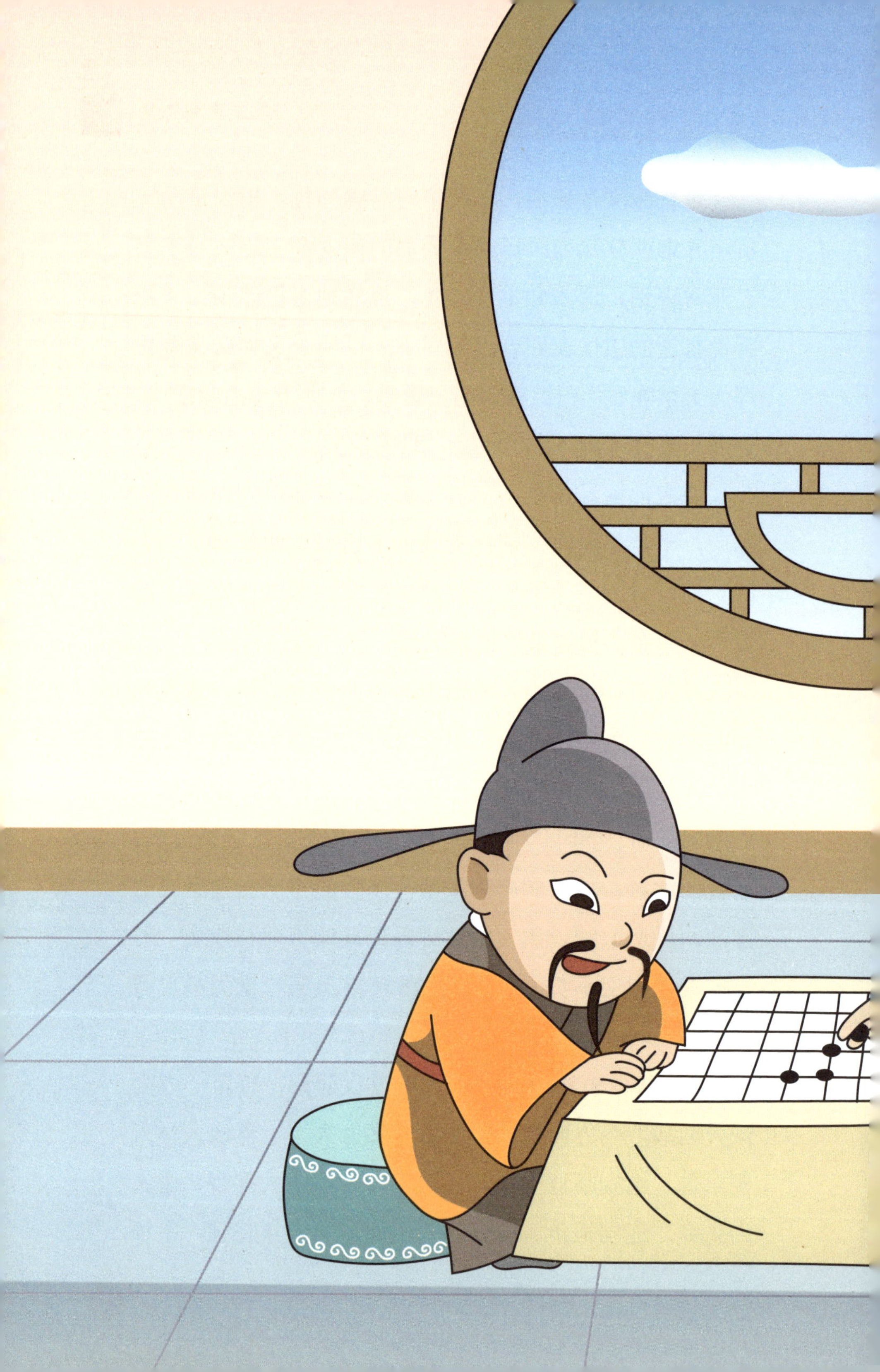

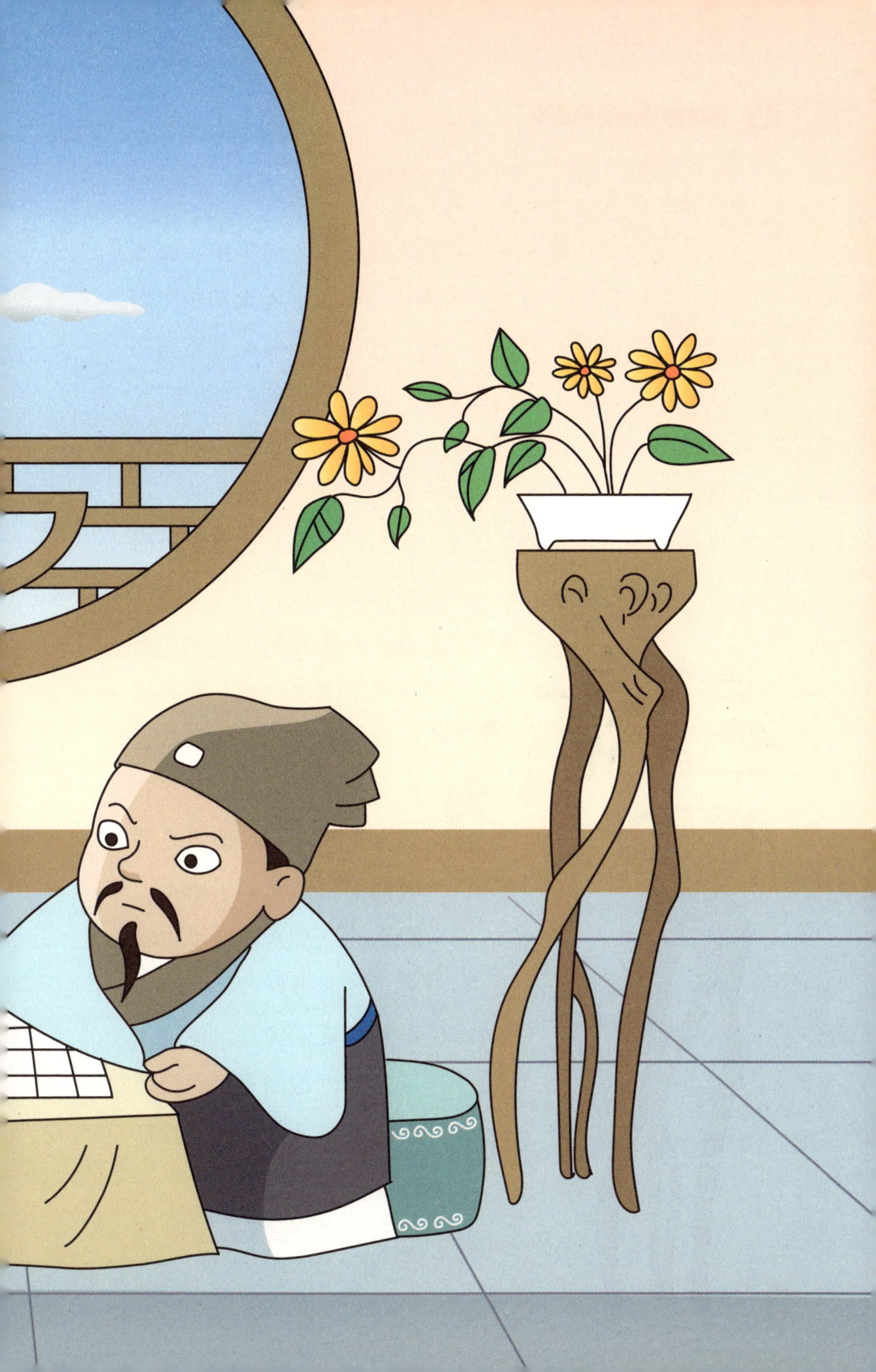

八万兵马，分三路迎击前秦军。

在生死存亡的关头，东晋上下都陷入恐惧中，就连谢玄也沉不住气，向谢安请教应对之策。谢安却是一副波澜不惊的样子，只回答自己已经另有打算，便不再多言，还拉着谢玄去山中的别墅下棋。桓冲听说这件事后，长叹道："谢安镇定自若的气度确实令人钦佩，他能够治理好国家，但根本不懂带兵打仗。如今大祸临头，还在纵情玩乐，派那些从来没打过仗的年轻人去抵抗，而且就带那么一点兵，怎么可能得胜？"

结果完全出乎桓冲的意料，淝水一战，晋军以少胜多，大败前秦军队。收到捷报时，谢安正在和客人下棋，看过捷报之后就随手将信放到了床上，脸上一点高兴的样子也没有。客人很好奇，问他信里到底说了什么，他这才慢条斯理地回答："没什么，不过是孩子们已经打败了敌军而已。"下完棋后，客人离去，谢安

风流宰相谢安

回到屋里,迈过门槛的时候,竟然高兴得连屐齿被折断都没有发觉。

淝水之战胜利后,谢安的声望日盛,且为人又正直,因而遭到小人的忌恨,那些小人常常挑拨谢安与孝武帝的关系,孝武帝因而逐渐疏远和猜忌谢安。谢安借机离开都城建康。

多年后,谢安因病返回建康,不久就去世了,朝廷以极高的礼仪安葬了他。

【知识拓展】

王羲之:出身名门望族,东晋名士,他擅长书法,有"书圣"之称。

桓温:三次出兵北伐,都取得了一定的成果,晚年欲废帝自立,未果,后病死。

扪虱而谈

王猛胸怀大志，好学不倦，因为不屑于烦琐的小事，经常遭人轻视。他年轻时曾路过后赵的都城，徐统见到他，认为他是一个了不起的人物，于是召他为功曹。王猛辞而不就，逃到华山上隐居起来。

354年，东晋大将军桓温带兵北伐，击败了苻健的军队，把部队驻扎在灞上。王猛身穿麻短衣，径直到桓温的大营求见。桓温请他谈谈对当时社会局势的看法。王猛在大庭广众之下，一边把手伸到衣襟里去捉虱子，一边纵谈天下大事，滔滔不绝，旁若无人。桓温见此情景，心中暗暗称奇，想留下王猛帮助自己，但是王猛拒绝了桓温的邀请，继续隐居华山。

王猛这次拜见桓温，本来是想出山展露才华，干一番事业的，但最后还是打消了这个念头。因为他在考察桓温和分析东晋的形势后，认为桓温不忠于朝廷，有篡权的野心，未必能够成功，自己在桓温那里很难有

所作为。

桓温退走的第二年，北方前秦皇帝苻健去世，继位的是暴君苻生。他昏庸残暴，杀人如麻，上下离心。东海王苻坚素有声誉，有人劝苻坚及早谋划，否则大权就会落入他人手中。苻坚就此事询问尚书吕婆楼，吕婆楼认为自己的能力不足以成就大事，便向苻坚推荐了王猛。

苻坚即位后，当即任命王猛为中书侍郎，参与军国机密。王猛受到重用，引起了王室成员以及有功旧臣的嫉恨。氐族豪强樊世曾随先主苻健平定关中，他对王猛说："我们辛苦耕种，你就坐享其成吗？"

王猛针锋相对："不但要让你辛苦耕种，还要让你做成熟食端到我面前呢！"

樊世怒不可遏，大骂："我一定要将你的人头悬挂在长安城门之上。"

王猛将樊世的话告诉了苻坚，苻坚怒道："一定得杀掉这个氐族老夫。"后来樊世进宫言事，当场与王猛发生争论，竟挥拳击向王猛，被左右拉住，接着又破口大骂，秽言不堪入耳。苻坚大怒，下令将其斩首。此后，反对王猛的人，由公开攻击转为暗中谗害。朝官仇腾、席宝常常诽谤王猛，很快就被苻坚赶出朝廷。从此，再也没有人对王猛趾高气扬了。

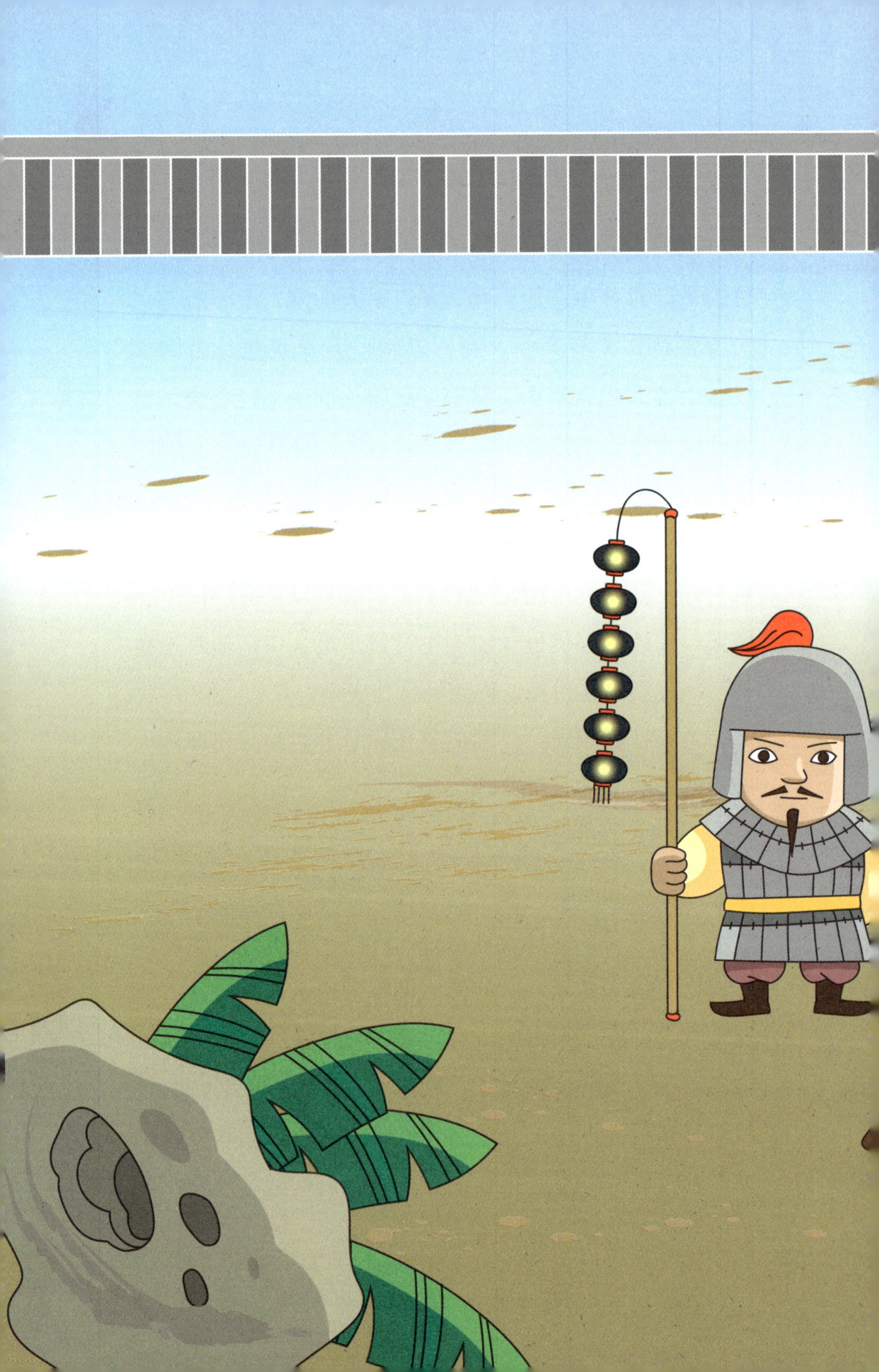

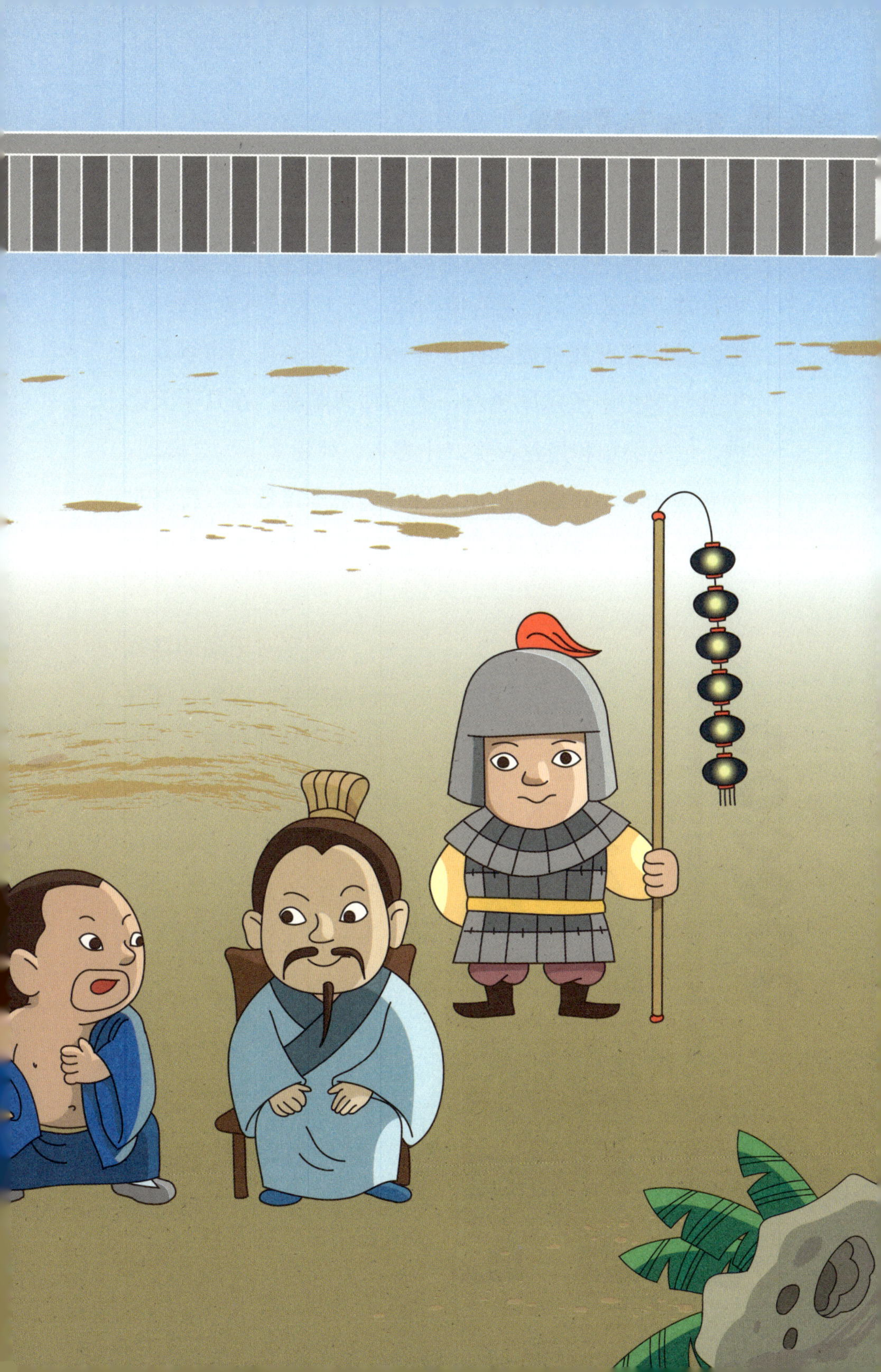

359年，苻坚任命王猛为侍中、中书令，兼领京兆尹。光禄大夫强德自恃是强太后的弟弟，经常借酒逞凶，祸害百姓。王猛一上任就将他拘捕，并上奏请求处置强德，但没等回复就将强德处死，并将其尸首放在街市示众。王猛与御史中丞志同道合，他们惩恶除暴，在几十天之内，依法罢黜和处死权贵二十多人，朝廷上下为之震动。于是境内大治，路不拾遗，奸恶之辈屏声敛气。苻坚见到政治清明，感叹地说："我到如今才知道天下有法律了！"

苻坚对王猛的器重日益隆盛，同年又任命王猛为辅国将军、司隶校尉，身兼数职，权势显赫，而王猛当时年仅三十六岁。

在王猛的治理下，前秦国成为北方诸多国家中最有实力的国家，在十年之间，逐渐吞并其他各国，基本统一了北方。在统一北方的过程中，王猛亲自率兵东

征西讨，攻必克战必胜，匈奴刘氏部、乌桓独孤部、鲜卑拓跋部等都先后归服前秦。十分天下，前秦居有七分，长江以南的东晋政权深感前秦的强大，无人再议北伐之事。

375年，五十一岁的王猛因病去世。王猛死后，苻坚极度悲痛，在半年之内便须发斑白，而此时的苻坚才三十八岁。

【知识拓展】

华山：古称"西岳"，为五岳之一，中华文明的发祥地，"中华"和"华夏"之"华"。南接秦岭，北瞰黄渭，自古以来就有"奇险天下第一山"的说法。

淝水之战

前秦在王猛的治理下，国力逐渐强盛，逐步统一了北方。但王猛死得太早，他临死时，对苻坚说："东晋虽然远在江南，但是正统所在，民心归附。我死之后，您不要攻打东晋。"可是，苻坚并没有听从王猛的最后忠告。

383年，苻坚与大臣们讨论出兵消灭东晋，一些逢迎拍马的官员奉承说："陛下出兵攻打东晋，看来一定旗开得胜，马到成功，胜利是可以预料的。"大臣权翼表示反对，他说："东晋虽说偏安江南，力量薄弱，可他们内外齐心，君臣和睦，还有谢安、桓冲这些有名的将领，智勇双全。目前去攻打东晋，恐怕时机还不成熟。"

苻坚一听，不由得火冒三丈，怒气冲冲地说："我有百万大军，如果每个人把马鞭扔进长江里，连江水都会被拦阻。"

苻坚亲率大军大举向江南进发，前秦军前锋三十万

人，由苻融等率领，先到达颍口（今安徽颍上东南）。

东晋派出的将领胡彬，率领水军沿着淮河向寿阳进发。在路上，他得知寿阳已经被前秦攻破，只好退到硖石（今安徽凤台西南），扎下营来，等待与谢石、谢玄的大军会合。苻融占领寿阳以后，又派部将梁成率领五万人马进攻洛涧（在今安徽淮南东），截断了胡彬水军的后路。晋军被围困起来，无军粮补给，情况十分危急。

苻融向苻坚报告："晋军兵少容易生擒，但恐怕逃走，应尽速率军来！"苻坚得信后，把大军留在项城（今河南项城），只带轻骑八千人，匆匆赶到寿阳，企图一举打垮晋军。

苻坚派将军朱序到晋军大营劝降，而朱序本来是东晋的将领，四年前，他在襄阳和前秦军队作战，兵败被俘，留在前秦。现在他见晋秦交战，认为自己为东晋出力赎罪的机会到了。所以他到晋营不但没有劝降，反而向谢石提出了破秦的建议，夜袭前秦军。前秦军无心再战，晋军乘胜追击。谢石带领晋军主力渡过洛涧，在离寿阳城只有四里地的八公山下扎下营寨，与前秦军主力隔淝水相持。

在寿阳城里的苻坚，接二连三地接到洛涧方面失利的消息，再也沉不住气了。他忐忑不安地和苻融登上寿阳城楼，观望晋军的动静，只见晋军阵营严整，旌旗如林，

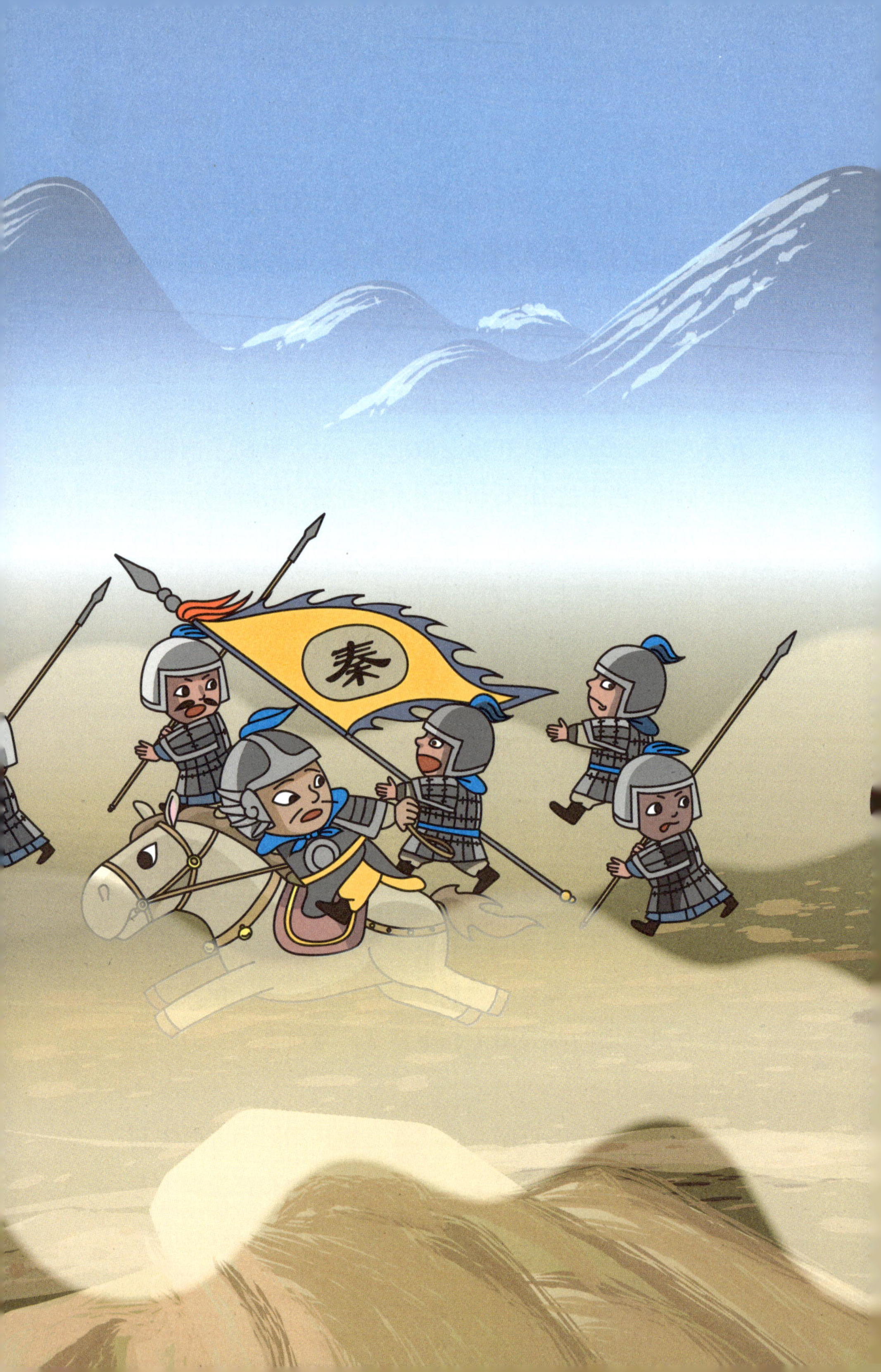
秦

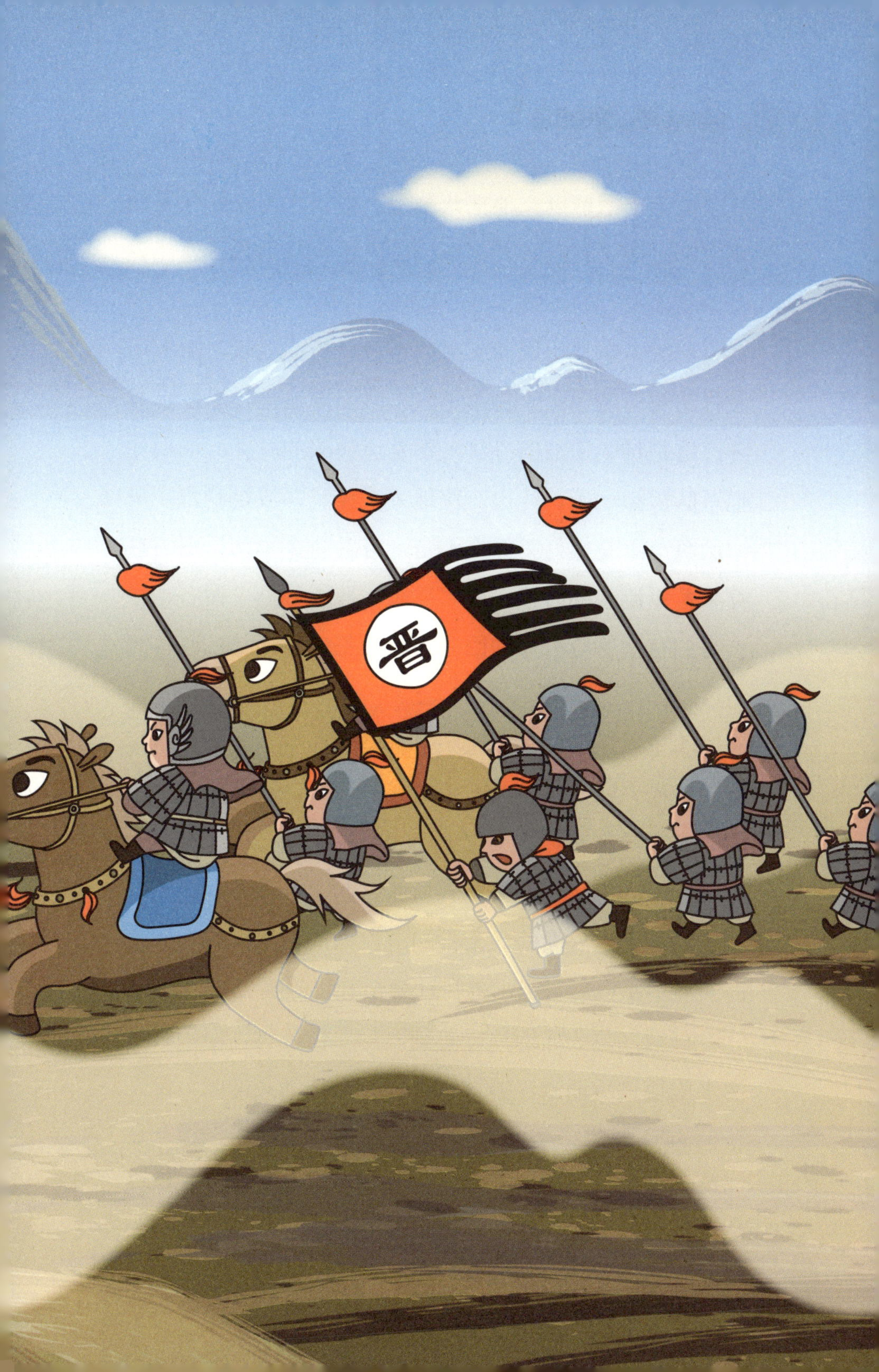
晋

八公山上密密麻麻。他把八公山上被风吹得左右摇晃的草木都看成了晋兵，对苻融说："这也是劲敌，怎能说晋军软弱呢？"不禁露出了恐惧的神色。

这时，东晋将领谢玄乘敌不稳，抓住战机，派人用激将法对苻融说："将军率领军队深入晋地，沿淝水布阵，这是持久作战的办法，不是速决战的打算。如果你把军队后撤一下，让出一块地方，让我军渡过淝水，决一胜负，不是很好吗？"于是，苻融命令军队后退，打算乘晋军渡水的时候，回军砍杀，取得胜利。谢石、谢玄得到苻坚答应后撤的回应，迅速整顿好人马，准备渡河进攻。

约定渡河的时刻到来了，苻坚一声令下，苻融指挥军队后撤。谢玄率领八千多骑兵，趁势飞快渡过淝水，向前秦军猛攻。

这时，朱序在前秦军阵后叫喊起来："秦兵败了！秦兵败了！"后面的兵士不知道前面的情况，只看到前面的前秦军往后奔跑，也转过身跟着边叫嚷边逃跑。

苻融气急败坏地挥舞着剑，想压住阵脚，但士兵像潮水般地往后涌来，哪里压得住。一群乱兵冲来，倒把苻融的战马冲倒了。苻融挣扎着想起来，晋军已经从后面赶上来，将他斩杀。主将一死，前秦兵更像脱了缰绳的惊马一样，四处乱奔。

阵后的苻坚看到情况不妙，只好骑马逃走，不料一支流箭飞来，正好射中他的肩膀。苻坚顾不得疼痛，继续催马狂奔，一直逃到淮北才歇了口气。

晋军乘胜追击，前秦兵没命地溃逃。那些逃脱的兵士，一路上听到风声和空中的鹤鸣声，也当作东晋追兵的喊杀声，吓得不敢停下来。"风声鹤唳，草木皆兵"的成语，就是这样来的。

淝水之战，是决定南北朝对峙局面的一次大战。苻坚在淝水吃了败仗，国内矛盾加剧，前秦的政权很快瓦解。北方又分裂成许多小国。经过五十多年的混战，到439年，鲜卑拓跋部贵族建立的北魏政权才统一北方。

【知识拓展】

风声鹤唳，草木皆兵：唳，鸟鸣。听到风声和鹤叫声，都疑心是追兵。形容人在惊慌时疑神疑鬼。

北魏崛起

南北朝时期的北魏由鲜卑族拓跋氏建立,北魏的崛起有赖于开国之初的三位英明君主——拓跋珪、拓跋嗣、拓跋焘。拓跋氏的先祖曾经建立过代国,这个国家在376年为前秦苻坚所灭,此后,拓跋氏不得不处于苻坚的统治之下。直到383年苻坚在淝水之战中惨败,前秦势力受到毁灭性打击,统治瓦解,拓跋珪才得以恢复代国政权,改国号为魏,也就是历史上所说的"北魏"。

拓跋珪骁勇善战,具有军事才能。他登上王位后,收服了很多少数民族部落,只有柔然部落拒不接受北魏的统治。拓跋珪带兵前去攻打,柔然部落全数逃亡,拓跋珪带兵紧追不舍,一直追了六百多里,军中的粮草全部用尽。有的将领建议放弃追击,拓跋珪却问:"如果宰杀备用的马匹充当口粮,我们三天之内能不能追上他们?"各将领都回答说可以追上,于是拓跋珪便下令杀马为食,加紧追击,果然追上柔然部落并将逃兵打得大

败。事后，拓跋珪向众将领解释："我之所以提出三天之内追上柔然部落，是因为他们需要驱赶家畜奔逃，到了有水的地方一定会停留，而我们以轻骑兵追击，不超过三天一定能追上他们。"众将听了这番话，都很佩服拓跋珪的谋略。

当时，占据黄河河套地区的刘卫辰派八九万大军侵犯北魏，拓跋珪带领五六千人马迎战，结果以寡击众，取得大胜。刘卫辰、刘勃勃父子仓皇逃走，黄河以南各部落尽数投降北魏，北魏由此强大起来。

395年，后燕国主慕容垂派八万大军进犯北魏。拓跋珪为了向后燕示弱，他命令将所有的牲畜资产全部迁走躲避。后燕将士便对北魏有了轻视的心理，更加骄纵，再加上后燕国主慕容垂病重，军心不稳，北魏一举击败后燕，占领了黄河以北地区，成为北方最为强大的几股势力之一。

398年，魏王拓跋珪正式登位称帝，实行大赦，并开始学习汉族的文化。拓跋珪曾向博士李先询问："天下什么东西可以补益人的智慧？"李先回答："书籍。"拓跋珪便命人大规模搜集书籍。

409年，北魏常有灾祸怪事发生，拓跋珪占卜后认为，这预示着要有什么不祥之事发生在自己身上；再加上他服食寒食散，性情变得喜怒无常而多疑，一见到身

边的人面色稍变或话语出错，就认为是居心不良，朝中内外人心惶惶。在经过一番朝廷的动荡之后，太子拓跋嗣即位。他任用了不少有作为的官员，其中不少是汉人，促进了拓跋贵族与汉人世家的联合。

423年，拓跋嗣进攻刘宋国，取得胜利，占领了军事重地虎牢关，但因积劳成疾而英年早逝。同年，太子

拓跋焘登基。柔然部落听说拓跋嗣去世，便率骑兵六万攻击北魏边境，拓跋焘亲自率骑兵前往讨伐，不料陷入柔然骑兵的包围之中。北魏将士极为恐惧，但见到拓跋焘神情自若，军心也快速稳定下来，最终不仅成功突围，而且将柔然骑兵打败。

拓跋焘生性节俭，从不大兴土木建造宫殿。他将财物视为军队和国家壮大的基础，绝不轻易浪费。

拓跋焘是一个能征善战的帝王，无论是攻打城池，还是两军对阵都能身先士卒，军中将士无不钦佩，都愿誓死效忠。429年，拓跋焘大破柔然军，柔然部落先后投降北魏。

426年，拓跋焘亲自率兵攻打大夏国。恰逢天气酷寒，黄河冰封，拓跋焘的军队踏冰渡过黄河，奇袭大夏国。大夏国上下惊恐万分，被打得大败。第二年，拓跋焘再次进攻大夏国，大夏国灭亡。之后，他又先后灭掉了北燕、北凉，基本统一了北方，结束了中原混战的局面。

而在对南方的作战中，他则占据了刘宋的河南之地。

在拓跋珪、拓跋嗣、拓跋焘的努力下，北魏统一了北方，为其后的发展奠定了良好基础。

【知识拓展】

刘勃勃：铁弗匈奴（南迁匈奴的一支）人，与前赵光文帝刘渊同族。413年改姓赫连。418年，趁东晋大将刘裕南归，攻占长安城后称帝，建立夏国。

后燕：五胡十六国时鲜卑慕容氏建立的政权。前秦苻坚淝水兵败后，北方大乱，投降苻坚的慕容垂趁机集合鲜卑人于384年建国，历七主，共二十六年。

北燕：后燕皇帝慕容宝死后，新任皇帝慕容熙因为荒淫无道于407年被冯跋杀死，改立慕容宝的养子慕容云为帝。409年，慕容云被宠臣所杀，冯跋杀死凶手后自称燕天王，仍以"燕"为国号，史称"北燕"。